辈子，

说我爱你

夏桐 著

知识出版社

图书在版编目（CIP）数据

用一辈子，说我爱你 / 夏桐著. —北京：知识出版社，2015.10
（魅丽优品系列）
ISBN 978-7-5015-8812-1

Ⅰ．①用… Ⅱ．①夏… Ⅲ．①长篇小说—中国—当代 Ⅳ．①I247.5

中国版本图书馆CIP数据核字（2015）第224011号

责任编辑：于　雯
责任印制：魏　婷
装帧设计：邓梦柔　兜　兜

出版发行：**知识出版社**
地　　址：北京市西城区阜成门北大街17号
邮政编码：100037
电　　话：010-88390732
网　　址：http://www.ecph.com.cn
印　　刷：北京君升印刷有限公司
经　　销：新华书店经销
开　　本：660 mm × 960 mm　1/16
印　　张：16
字　　数：160千字
版　　次：2015年10月第1版　2015年10月第2次印刷

ISBN 978-7-5015-8812-1　定价：25.80元

CONTENTS 目录

用一辈子，
说我爱你

CONTENTS 目录

用一辈子，
说我爱你

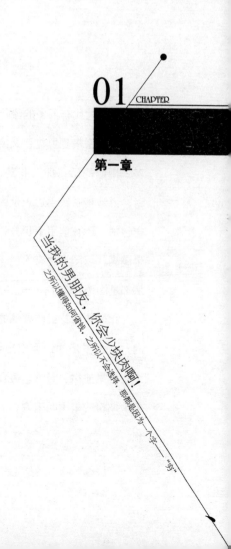

01 CHAPTER

第一章

当我的男朋友，你会少块肉啊！

之所以让你如何看我，之所以不会选择，那都是因为一个字——"穷"。

01

这个时代有很多的流行词来形容时下的年轻人，比如说，拖延症，比如说，密集恐惧症，又或者是吃货。如果要用时下流行的这些词来形容朱雨萌的话，那大概是，省钱小达人、吃货以及选择恐惧症晚期患者。说她是省钱小达人是因为，她熟知每一种优惠，比如团购，比如淘宝包邮，还有信用卡积分，只要能有优惠和折扣，就能让她感觉到正能量满满。可网上也有人说了，之所以懂得如何省钱，之所以不会选择，那都是因为一个字——"穷"。

此刻装饰着银色玻璃的方华酒店，在阳光下闪闪发光。旋转玻璃门内，许许多多的过客出出进进。对于这些行色匆匆的人们来说，方华酒店是集住宿、SPA、美食为一体的高级酒店。而对于正眼冒着金光，表情期盼的朱雨萌来说，方华酒店那就是一个梦想，一个关于美食的梦想。

　　位于方华酒店二楼的自助餐厅，是全市最好的自助餐厅，这里有最新鲜的海鲜，还有口感最为浓郁正宗的各类甜品。在大二那年无意中得知这家餐厅之后，作为省钱小达人的朱雨萌就等着打折或者团购的机会，可一年多过去了，等待的打折和团购都没有到来。

　　本来以为大学4年，自己就会跟这样的美食擦肩到擦出火来，也不会有任何进一步发展。可今天早上醒来当她意识到，明天就是自己第一次面试实习工作的时候，朱雨萌作出了一个令她肉痛的决定。那就是，即便只能正价吃到那里的自助餐，她还是想要把这里作为犒劳和鼓励自己的最佳餐厅。

　　当她迈着坚定的步伐来到二楼餐厅，看到自助餐厅外红色招牌上的金色字体的时候，朱雨萌觉得，这个世界未免也太恶搞了……

　　等了一年多没有等到任何折扣的自助餐厅，今天竟然推出情侣同行，一人免费的活动。这样大手笔的活动对于朱雨萌自然吸引力无限，可明明白白写着的情侣同行却像是一根刺戳进了她的心。

　　这个世界是要这样赤裸裸地嘲笑和欺凌没有男朋友的单身女青年吗？中秋节情人节圣诞节所有的节日似乎都为了情侣们存在，把她这种从小到大连恋爱是什么滋味的人置于何地？

　　当然愤慨归愤慨，朱雨萌还是不会跟折扣过不去，在翻开电话找不到任何一个在同城的男性朋友之后，她能够随叫随到且任劳任怨的也就只剩下最佳闺密尹小可了，可惜，她是个女的。

　　思前想后了好一阵子，不甘心的朱雨萌决定发扬自己金牛座死磕到底的精神，她走进自助餐厅后，逮着一个看起来温和友好可爱的女服务生问道："你好，请问你们这里是不是有情侣同行，一人免费的活动呀？"

"是呀，这个活动今天可是最后一天！"女服务生笑着回答。

"那请问情侣一定要是一男一女吗？"朱雨萌紧接着问。

听到这个问题，女服务生的表情变得有些扭曲，愣了好一阵子这才有些吞吞吐吐地回应道："难不成你的情侣是……是……是个女生？我要请示一下我们经理……"

说完，女服务生好像怕被朱雨萌吃了一般，惊恐地逃走了。

得到这个答案，看到女服务生惊恐的样子，朱雨萌心情顿时灰暗下来，此刻她的脑子里就剩下一件事，那就是如何逮到一个男人，然后让他假扮自己的男朋友，最后你好我好大家好的，一同享受这个折扣！

俗话说得好，天无绝人之路，在朱雨萌一筹莫展的时候，门外不远处的电梯上，走下了一个形影单只的年轻身影。见到那个身影，朱雨萌灵机一动，然后火速地冲到了那身影的身边。

"同学，你好，打扰你一下。"朱雨萌堵住那个身影的去路，一脸恳求的表情。

面前的男生一米八的个子，拥有无敌大长腿，模样更是清秀可人，虽然表情有些冷漠和孤傲，但属于尹小可一见到就会立马扑倒的类型。

男生看着朱雨萌也没说话，直接给了一个，你想要怎样的眼神。

面对这种冰山类型的男生，一般情况下的朱雨萌一定是有多远躲多远，可是今天，在超高折扣的诱惑下，她挤出一丝微笑，狡黠地眨着眼睛，用无比诚恳的语气说道："同学，你一定还没吃饭吧？今天酒店的自助餐厅有情侣同行一人免费的活动，要不我们一起参加吧？"

听着朱雨萌的提议，男生先是露出一副诧异的表情，随后便像是没听见一样，跨开步子朝前走去。

朱雨萌见到形势不妙立马追了上去，并一把挽住了那男生的胳膊："我们只要进去了，就能够为彼此省125块钱。一看你的年纪，肯定也还在念大学吧？生活费应该也是少得可怜，有这样的省钱机会，你该不会不愿意吧？"

男生皱了皱眉头，想要甩开朱雨萌的手，无奈被她抓得死死的。

"就一分钟，只要一分钟时间就可以了！"朱雨萌见劝解无用，便开始皱着眉毛卖起萌来。

男生本还想说点什么，谁知朱雨萌根本不给他机会，直接将他拉进了餐厅，并笑眯眯地冲服务员说："你好，我们是参加情侣同行，一人免费活动的。"

服务生上下打量两人一阵，露出有些狐疑的眼光："你们真的是情侣吗？"

"真的，真的，在一起很久了呢！"怕被怀疑，朱雨萌带着甜蜜的笑容看了身旁的男生一眼，继续解释道，"他只要不笑就会看起来不耐烦，其实他平时不是这样的。"说完，朱雨萌捏了捏男生的胳膊示意他赶紧笑一下。

服务员半信半疑地看着两人，然后拿起手边的拍立得："是这样的，每对情侣进场都要拍张照片放在我们的宣传栏里，作为我们店的宣传，所以请两位摆出甜蜜的造型哦！"

听到这个要求，两人都愣了一下，男生更是微微地斜了斜身子，稍微地保持了一下距离。

拿着拍立得的服务生看着两人尴尬的样子，笑容有些勉强："我们这里只有真正的情侣，才能够享受优惠哦！"

看到服务生已经开始怀疑了，朱雨萌心一横将头靠在男生的手臂上，然后伸手摆出了个胜利的姿势。

随着相机"咔嚓"的一声，服务生这才放两人通行。

进了门之后，朱雨萌这才重重地松了一口气。

"谢谢你呀，待会儿付账的时候，我们每人都能省下一半的钱哦！"朱雨萌看着面前的食物，眼睛开始冒出像是看到一千万现金时才有的金光。

男生看了朱雨萌一眼，露出一副有些不耐烦的表情，冷冷地说道："假扮时间结束，我们各吃各的。"说完，他就朝着甜品区走了过去。

看着那高大的背影，朱雨萌的额头冒出几滴冷汗。

看样子还是会说话的嘛，一直不吭声，还以为他是哑巴呢……

02

一个小时以后，朱雨萌用她的超级无敌金刚胃塞下了4个扇贝、一盘基围虾、一个大螃蟹、两盘生鱼片寿司、一盘烤肉、一碗浓汤，还有一堆蛋糕甜品冰激凌。看着眼前堆满的空碟子，朱雨萌感觉到前所未有的成就感和满足感。

不愧是传说中全市最好吃的自助餐厅，海鲜个个都新鲜美味，甜点也都浓郁可口。摸着微微胀起的胃，朱雨萌的眼神飘向了刚刚假扮自己男友的男生的座位，没想到的是，那个座位已经是空空如也，而躺在那张桌子上的盘子竟然只有3个。

花了250块，竟然只吃了3盘东西？

朱雨萌瞪大眼睛，露出一副不可思议的眼神。可只过了一秒钟，她就立马回过神来，他走了，怎么付账啊！不是说好AA吗？

想到这里，朱雨萌擦了擦嘴巴，拿起包包直接奔向了收银台。

"你好，结账。"朱雨萌的心开始惴惴不安起来，那男生看起来倒是清清秀秀，应该不会做出逃单这种龌龊的事情吧！

想到这里，朱雨萌忍不住捏了捏自己并不是太充足的钱包。

"小姐，你的男朋友已经买单了哦。"服务生说道。

"已经买单了？"朱雨萌有些不敢相信。

"嗯，是的，他已经买单了哦！"服务生又解释了一次。

朱雨萌有些不安地瘪了瘪嘴，虽然她很喜欢折扣团购什么的，但是这也不代表，她喜欢占别人的便宜啊！

"这样的呀，请问一下，你有他的电话吗？我还没给他钱呢！"朱雨萌一个情急也没细想就急急地问道。

"他不是你男朋友吗？你怎么会没有他的号码呢？"服务员的表情有些狐疑。

朱雨萌一下子就被问住了，她憋红着脸，支支吾吾不知道该怎么回答。

就这样和服务员尴尬地僵持了几秒，朱雨萌实在想不出如何接话，就在这时，手机铃声响起了。

"喂。"

"朱雨萌你吃个自助餐是吃到月球去了吗？还不回来，我都快要饿死了，记得给我打包一个酸辣粉啊！"尹小可声嘶力竭的咆哮声从电话那头传来。

正愁不知道如何脱身的朱雨萌接到了尹小可的电话，有如大赦，赶紧连连答应："好好，好，我马上回来。"

挂掉了电话之后，朱雨萌就冲服务员嘿嘿一笑，然后立马溜之大吉。

走出餐厅，想着自己竟然就这样莫名其妙地吃了顿白食，更重要的是，这顿白食还是自己死皮赖脸求过来的，朱雨萌顿时就感觉到无比的心塞。

可是心塞也没办法，她对那个男生可以说是一无所知，什么名字，读什么学校，都不知道，茫茫人海如何能够找到啊……

一直到帮尹小可买好了酸辣粉朝着寝室走去，朱雨萌的心里还是有着挥散不去的不安和负罪感。

　　"喂，朱雨萌，你总算回来了啊！再不回来，我都要变成肉干了！"尹小可顶着乱七八糟的蘑菇头，双眼迷离地从上铺爬下来，接过了朱雨萌手中的酸辣粉就立马大快朵颐起来。

　　朱雨萌躺在了床上，脑子里都是晕乎乎的。

　　"喂，朱雨萌啊，你还有时间睡觉呀！"苏梅梅的声音从朱雨萌的上铺传来。

　　"嗯？"朱雨萌挪了挪身子，从床上露出了个头。

　　"你明天要跟我一起去面试晴朗广告公司的对吧？你都没有做什么准备吗？"苏梅梅音调稍微提高，语气有些傲慢和鄙夷。

　　"是呀，喂，朱雨萌，你都不用做准备的吗？"尹小可也露出了狐疑的神色。

　　朱雨萌翻了个身，声音也懒洋洋的："准备？要做什么准备啊？"

　　"拜托！晴朗可是全市最大的广告公司，即便我们是去实习，也没有那么好进。所以啊，肯定需要准备啦！比如看看面试的流程，比如熟悉一下晴朗广告公司呀……"

　　听着苏梅梅的话，朱雨萌感觉心塞感又加重了一些。

　　"喂，苏梅梅，听你的语气，难道你做好了充分的准备了？"尹小可吃酸辣粉吃得满头大汗。

　　"那是当然，我又调整了一下我的简历，早上还去做了个美容，把自我介绍还有面试可能会遇到的各种问题都统统设想和演习了一遍。怎么样？准备还算充分吧？对了，朱雨萌你倒是说说，你准备了什么啊？

虽然我面试的是老板秘书助理，而你是去面试一个项目经理的助理，等级上差了很多，不过想必，你还是有准备一下的吧？还有，明天我们俩面试的地点似乎不在一起呢！"

苏梅梅如此自信满满又准备充分的模样让朱雨萌一下子就泄了气，别人是为了面试准备了一大堆，又是自我介绍，又是面试问题，而自己却是大吃了一顿……

"我们家猪去大吃了一顿，补充了点能量，也算是做了充分的准备吧？"尹小可一边讪笑，一边打趣地冲朱雨萌说道。

朱雨萌翻了一个白眼，没好气地说道："尹小可，你别忘了，是谁千里迢迢给你买来你最爱的酸辣粉！"

"好啦，好啦！我们家猪最棒！放心吧！猪有猪福，明天你一定会顺利通过面试，实在是通过不了，也没有关系啊！反正还可以找下家啊！"尹小可吐了吐舌头。

朱雨萌忍不住对尹小可做出了个鄙视动作。

03

"朱雨萌！你再不起床，你的人生就不会再晴朗了！"

一大早尹小可就用她的狮子吼硬生生地把正做着美梦的朱雨萌给吵醒了。揉了揉惺忪的睡眼，朱雨萌这才发现离面试只有半个小时的时间了。

"苏梅梅怎么都不叫我啊！昨天不是答应好，今天两个人一起去的吗？"朱雨萌一边火急火燎地洗漱，一边碎碎念道。

"我说朱雨萌你还真是天真啊！要知道，你跟苏梅梅也算是竞争对手，毕竟都是去应聘晴朗广告公司，加上她又那么有心机，怎么可能会叫你啊！说你跟猪是一样的智商，你还不相信！"尹小可拿起床边的言情小说一边津津有味地看着，一边心不在焉地说道。

朱雨萌丧气地一跺脚，拿起了包包就立马冲出了寝室。

"喂，记得好好表现！应聘成功要带我吃好吃的哦！"

尹小可的声音在身后回荡，朱雨萌也懒得回应了，眼下只要保证不迟到，就还是有希望的啊！

只是昨天打算今天跟苏梅梅一起去面试，顺便请教她关于面试当中要注意的问题，现在看来只能自求多福了。

在离面试时间只有5分钟的时候，朱雨萌总算是赶到了晴朗广告公司的大楼，眼看离自己最近的电梯门就要关了，她一个箭步冲进了电梯里。

呼……幸好赶上了。

朱雨萌低头抚胸，暗自庆幸了一番。当她抬起头的瞬间，她感觉到了生命中的一丝善意和曙光。

因为此刻站在她身边的就是昨天的那个"男朋友"。

"喂！竟然是你！"朱雨萌喜出望外。

男生见到朱雨萌也有些诧异，他挑了挑眉毛，傲慢地点了点头。

昨天吃白食带给她的心塞终于找到了解脱，朱雨萌从钱包里拿出了

130块钱递给那个男生："喏，昨天的饭钱，我这个人呢，虽然是很喜欢打折啊团购或者什么优惠啦！但我可不是那种喜欢占别人便宜的人哦！"

看着朱雨萌手中的钱，男生冷冷回应道："不用了，反正我不是太在意昨天的优惠，更何况还是被强迫着优惠的，所以付原价对我来说比较舒服。"

听着这样的话，朱雨萌冒出几滴冷汗，她悻悻地收回了钱："那好吧，那我下次请你吃东西吧！"

谈话到了这里，由于没有得到那个男生的回应，气氛瞬时变成了尴尬的沉默，直到朱雨萌看见那男生也是要去12楼，这才又开了口："你也到12楼吗？你也是来晴朗公司面试的吗？你什么专业啊？"

男生没有回应，只是平静地看着前方，似乎把朱雨萌的话当成了空气。

既然想把吃白食的这个人情还回去，那么套近乎，知道他叫什么在哪个学校，以后要怎么联系，那就是必需的。朱雨萌咬咬牙，继续热脸贴他的冷脸："好巧哦，你知道吗？我也是来这里面试的哦！嘿嘿，不过我还没有怎么做准备，我们寝室的一个女生可是做了万全的准备，所以她成功的希望应该很大，不过没关系，没希望我也要试一试，因为只有试了才知道能不能成功，对吧？"

朱雨萌说着像是在给身边的男生打气，又像是在给自己打气。

男生瞟了朱雨萌一眼，看着她眼睛里坚定又明亮的光，嘴角露出一丝非常浅的笑意。

说实话，他秦明朗什么样的女生没见过，但像这样有点神经质有点二的女生，他还是第一次见到。

还没等到秦明朗回应，电梯就停在了12楼。

走出电梯口，眼前出现以白色调为主，干净明亮的办公大厅，前台的白色隔断上用木纹样式写着"晴朗广告公司"几个大字。前台的位置空空如也，看来前台小姐一定是为了今天的面试而有所忙碌去了吧……

本来还在宽慰自己，这家不行就换下一家，可刚走到公司的大门外，朱雨萌就感觉到了一阵紧张。

那种感觉，好像现实的生活已经赤裸裸地展示在自己的面前，而推开玻璃门进入这家公司，就是最为宽敞的道路似的。

朱雨萌深呼吸一口气，想要缓解一下紧张，而一旁的秦明朗则是大步地跨进了公司。

"咦——"看着秦明朗轻车熟路的身影，朱雨萌有些疑惑。

难道这个男生就是在这个公司工作？不然怎么感觉对这里这么熟悉的样子？

可是也不可能啊！他看起来跟自己差不多年纪，怎么可能就能在这里工作呢？

04

"你好，请问你是来面试的吗？"

还没等朱雨萌想明白，一个穿着黑色职业装，面容姣好的女生端着一个咖啡杯出现在了她的面前。

　　"是的，是的，请问面试是在哪里？"朱雨萌连连点头。

　　"还有两分钟就开始了，你直走走到尽头然后左拐就好了。"女生淡淡地回应完就端着咖啡杯坐在了前台的位置。

　　朱雨萌赶紧低头道谢："谢谢，谢谢。"

　　说完，她就按照那女生的指示走去。

　　晴朗广告公司的内饰设计极具特色，里面一间间的办公室是用玻璃门作为隔断，显得既简洁又开阔，而整齐一致的苹果电脑，还有各类或是设计奇特，或是设计夸张的椅子又显得充满了年轻的气息，在办公室的最尽头是一间很大的休息室，这里可以打乒乓球，还可以打电玩，甚至还可以玩桌上足球。看着休息间不少人端着咖啡热聊或是打电玩，朱雨萌感受到的是属于年轻人的自由气息。

　　如果能够幸运地进入这家公司一定是最幸福的事情！

　　朱雨萌带着这样的感叹走到了面试的地点，白色的百叶窗帘让人看不见玻璃房子里的情形，走廊边上的椅子上坐着正等着面试的女生们，她弯腰跟每一个人微笑打招呼后，找了个最角落的位置坐了下来。

　　也不知道苏梅梅此刻在这个公司的哪一个地方面试呢？

　　她一边想着，一边开始观察起四周来。

　　每个来面试的女生都化了淡妆，看上去都是神采飞扬。朱雨萌举起手机当成镜子照了一下，想比于其他女生的明亮动人，看起来过于平凡的自己还是黯然失色了许多。

朱雨萌调整着呼吸，开始不断地在心里给自己加油打气。

就在这时，手机开始震动起来。

"喂，猪，面试加油！在花枝招展的小狐狸和小白兔面前，勇敢往前冲！"

是尹小可发来的短信，朱雨萌露出一抹微笑。

是呀，哪怕是一无是处憨憨傻傻的猪，指不定也会迎来属于自己的晴朗的未来呢！

"哇——好帅啊！"身边的女生们纷纷发出一阵轻微的惊呼。

朱雨萌抬起头，只见几个身材高挑的年轻人说说笑笑地朝着面试区走来，而在他们之中最为耀眼的，要属其中穿着白色衬衫，有着柔软的黑色头发和温暖笑容的一个男生。在走进面试办公室的时候，那男生停下脚步，对着等待着面试的女生们暖暖一笑："接下来的面试，大家不要紧张，都加油哦！"

面对这样的加油鼓劲，女生们纷纷露出了花痴的笑容，这其中也包括了坐在最角落的朱雨萌。

走向社会了就是美好啊！连男生都比学校里的男生帅了好几个档次啊！

朱雨萌在心里默默感叹。

随着那几个男生走进了面试办公室，面试就正式开始了，按照投递简历的顺序，大家一个个进场。朱雨萌被分到的号码牌是10号。对于朱雨萌而言，10是个幸运数字，因为她的生日就是在5月10号。因为这样的巧合，朱雨萌的信心又增加了一些。

半个小时以后，就轮到了朱雨萌，面对面试官都是帅哥这件事，她倒是比别的女生显得淡定了许多。

"朱雨萌你应聘的是项目经理助理，我们在座的都是项目经理，如果你面试通过了，你最想跟哪一位项目经理呢？"其中一个笑容有点坏坏的男生首先向朱雨萌发问。

朱雨萌以为面试会问自己对于未来的职业规划，或者是自己在学校的表现，获得过哪些表彰之类的，却没有想到对方竟然会问这么一个有些无厘头的问题。

"是呀，你倒是说说，仅凭第一感觉，你最想跟着哪一个项目经理呀？"坐在笑容有些坏坏的男生身旁的穿着蓝色衬衫的男生继续追问道。

朱雨萌抬起头观察了四人一阵，然后回答道："工作没有什么最想吧，你们哪一个肯收我，我就愿意跟着谁啊！"

"你的回答也太模糊了，看样子你倒是挺无所谓的啊，难道不怕跟着一个异常严厉又不近人情的上司吗？"一直没有发话的坐在有着暖暖笑容的男生旁边那个梳着时髦大背头的男生说道。

"你们看上去都是很和蔼可亲的，如果真的很难相处的话，那我就当成是对自己的一种磨炼嘛！"朱雨萌笑笑。没有那些正规又压抑的问题，换上这么个无关痛痒的问题，她倒是觉得轻松了不少。

听着朱雨萌的回答，四人互相看了一眼，然后满意地点了点头。

"你知道吗？在你之前的几个可都是一窝蜂地选择了想要跟楚子昀哦！"说着笑容坏坏的男生把视线放在了在面试之前给大家加油鼓气的男生身上。

原来他叫楚子昀啊……

朱雨萌感觉自己看待楚子昀的眼光像是看待偶像一般，他不但人长得帅气，连名字都这么帅气……

其实她一开始也想要说楚子昀，可是由于有其他3个人在场，总觉得这么赤裸裸地说出来，有点像在表白的感觉，她有点害羞，便说出了一个两全的答案。

"朱雨萌，你也是京南大学的呀？"楚子昀拿着朱雨萌的简历问道。

"嗯，你也是吗？"朱雨萌有些难以压制自己心中的欣喜。

"嗯，我比你高两届，可以算是你的学长了。"楚子昀露出招牌式的温暖笑容，一边翻着她的简历，一边继续说道，"看你的简历，你还挺喜欢参加学校的各种活动的，看样子应该是个开朗又很好相处的人，你能告诉我，为什么选择来我们晴朗广告公司实习吗？"

"因为觉得做广告是很有创意又很有趣的职业，这样的职业总是在创作，总是在弄出新的想法，所以很感兴趣。"朱雨萌回答。

"可是你的工作是助理，助理不负责创意，只负责一些杂事，比如处理一些资料，比如处理一些合同等等，这些可不是有趣又有创意的工作哦！"楚子昀换上了一副稍微有些正经的表情。

看着楚子昀终于有心思去问一些与工作相关的问题，其他三人也知道，他是准备给这个女生一个机会，便纷纷没有再说话。

"嗯，即便是做着看似无趣的事情，也想待在一个有趣有想法有创意的环境里，因为总会忍不住怀抱着，指不定自己也能够提供一些有趣创意的想法。"

听着这样的回答，楚子昀略为满意地点了点头："再问最后一个问题，你就可以走了哦！"

朱雨萌紧紧地盯着楚子昀，有些紧张地迎接这最后一个问题。

"学校后面的那家火锅店还在营业吗？"楚子昀咧嘴一笑，问了这么一个无关紧要的问题。

朱雨萌紧张的心立马放松下来，她笑了两声，然后努力克制了一下情绪后回答道："还在营业，而且每到店庆日都会有8折的优惠，如果办会员的话，在生日当天还可以享受7折优惠以及生日蛋糕一个！"

看着朱雨萌认真解释的模样，楚子昀笑笑："好了，你可以回家等消息了，加油哦，小学妹！"

朱雨萌站起身，对着4个人鞠了一躬就带着一颗小鹿乱撞的心走出了大门。

05

站在走廊上，朱雨萌一想起楚子昀微笑的模样，就忍不住心生悸动。

如果人生的第一份工作能够在楚子昀手下做的话，那真是太完美不过了……

朱雨萌带着略微有些花痴的甜蜜笑容，一步步地朝前走。在走出拐角的时候，她有些不敢相信地看着眼前正朝着自己走来的人。

"哇！我们好有缘！"朱雨萌走到秦明朗的面前，拍了拍他的肩膀，冲他亲昵地说道。

秦明朗身边跟着一个穿着休闲西装，染着栗色头发面容俊朗的男生，那男生看了朱雨萌一眼，问道："明朗，她是谁啊？"

"呀！原来你叫明朗啊！你好啊！明朗，我叫朱雨萌，刚刚都忘记问你电话是多少了，你现在告诉我吧！这样我才好请你吃饭啊！你又不肯收我钱，我总要请你吃个饭吧！"

秦明朗拧了拧眉头，看着眼前一脸笑意的朱雨萌，继续用招牌式的冷冷的语气说道："我没空跟不熟的人吃饭。"

"拜托，我们是不熟，可正因为不熟，你却帮我付了饭钱，所以我才更应该请你吃饭啊！我可不想被别人误会成是一个爱贪便宜的女生。"

"为了一个折扣，就能拉着一个不认识的男生假扮情侣，这难道还不叫爱贪便宜吗？"秦明朗反问。

朱雨萌被噎得一时不知道怎么回应。而一旁一直用八卦表情看着两人的栗色头发男生，一听到假扮情侣，便立马来了兴趣，他连连问道：

"哇！假扮情侣！好劲爆的消息，赶紧详细说一说。"

"那，那，那个不叫贪便宜，那个叫划算，叫懂得计算！你又不了解我，怎么可以那样说我，你以为你是谁啊？"朱雨萌气得有些胸闷，她不满地嘟起了嘴。

听着这个问题，栗色头发的男生看着朱雨萌的眼神有些震惊："你在这个公司里，你不知道他是谁啊？你是两耳不闻窗外事，一心只想搞工作吗？"

"我，我，我必须知道他是谁吗？更何况，我是过来面试的，又不是在这里工作……"朱雨萌有些弄不清楚状况，有些吞吞吐吐地说道。

还没等栗色头发男生解释什么，一个穿着职业装的女生就拿着一沓资料走到了秦明朗的身前。

"老板，域名公司的人已经在会议室等着您了。"

听着那女生的一番话，朱雨萌把眼睛瞪得溜圆，嘴巴也大得快要装下一颗球。

不是吧……

自己刚刚没有听错吧？

那个女生叫他老板？

这个明朗竟然是老板？晴朗广告公司的老板？

朱雨萌感觉刚刚在自己世界里升起的小太阳，立马被一块黑色沉重的乌云替代。

秦明朗冲职业装女生点了点头，没有理会一脸震惊的朱雨萌，就跨着大步离开了。

站在原地的朱雨萌，感觉自己被一道闪电狠狠劈中。那感觉实在是，太震撼不可思议加悲痛了……

看着朱雨萌震惊的模样，栗色头发的男生露出一抹微笑："怎么样，你现在知道他是谁了吧？他就是晴朗公司的大老板——秦明朗！你竟然当着他的面说，他以为他是谁这种话，你可真够胆啊！"

一道更强劲的闪电继续朝着朱雨萌劈来，她感觉腿有些软，忍不住微微退后了两步。

晴朗公司的大老板？

秦明朗？

自己竟然抓着公司的大老板让他假扮自己的男朋友？还告诉他，不要紧张，乐观看待？

朱雨萌想着所有的一切，就恨不得直接来道最猛烈的闪电，把自己劈得连渣也不剩。

她哪里有胆啊……

最没胆的就是她啊……

如果有人能够告诉她，这个秦明朗就是大老板，她怎么也不会说出那样的话，做出那样的事啊……

"喂，喂，你没事吧？不要太紧张，你又不是在这里工作，只是过来面试的嘛！面试不成功，以后都不会碰上，有什么好害怕的……"

听着栗色头发男生一句句不断补刀的话，朱雨萌感觉胸口很闷很闷，脑子很乱很乱。

　　就在前几秒，她还无比期待能够在这里工作，拥有自己的一席之

地……

　　可是，现在……

　　再见，走入社会的第一条宽敞大道。

　　再见，微笑比阳光还要暖人的楚子昀……

　　再见，所有美好的未来……

　　朱雨萌欲哭无泪地默默向前移动，只要一想到秦明朗，她就能听到

梦想破碎的声音。

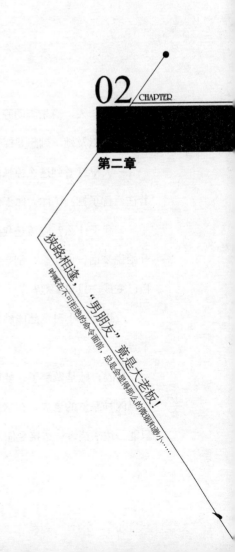

02 CHAPTER

第二章

狭路相逢，"男朋友"竟是大老板！

命运在不可抗拒的命令面前，总是会显得那么的脆弱和渺小……

01

新的一天，当朱雨萌睁开眼，首先映入眼帘的是，尹小可圆溜溜的大眼睛，以及她一副想要探究什么的表情。

一大早就看到这么惊悚的景象，朱雨萌吓得一个激灵，整个人蜷缩着往后挪了挪："你，你干什么呀？"

"我干什么？应该是我问你干什么？猪！雨萌！你知道你一大早就开始说梦话，说什么，别吃我，你可千万别吃了我啊！你不会做梦梦到自己变成一只猪了吧？"

没想到尹小可竟然能够猜到自己的梦，朱雨萌皱着眉头，悲痛地点了点头。

是的，她是做梦了，梦里还真的变成了一只猪，而秦明朗则变成了一只凶神恶煞的老虎，在这只摩拳擦掌要把自己吃掉的大老虎面前，她只能一边求饶，一边接受任人宰割的命运啊……

尹小可鄙夷地看了朱雨萌一眼，就退回到了自己的床上，继续拿起一本厚厚的言情小说啃了起来。

被尹小可这么一闹，朱雨萌算是彻底醒了，昨天面试的时候，工作人员就说了，今天就能够知道面试的结果。

成功已经是不可能的了……

想到这里，朱雨萌像一只虫子在床上纠结地蠕动了几下。

"喂，猪，待会儿我们去吃什么啊？刚刚苏梅梅出门，让她给我带个早餐，她也不肯。唉，明知道我最不喜欢出门了……"尹小可的视线依旧停在小说上，语气也显得有些不经意。

朱雨萌刚想回答"什么都不想吃，没有任何胃口"的时候，苏梅梅就扭着步子，带着满满的春风得意走了进来。

"姐妹们，起床吧，姐姐我给你们带了香喷喷的肉包子！"说着苏梅梅就举起手中的塑料袋子。

看见有肉包子，尹小可噌地一下就起身，然后笑容满面地接过了肉包子："苏梅梅，你今天是怎么了？平常的你，可没有这么好心啊！"

苏梅梅没好气地看了尹小可一眼："得了便宜还卖乖。"

苏梅梅走到了朱雨萌的床边，笑容也绽放得无比灿烂："朱雨萌，赶紧把肉包子吃了吧，别像一摊烂泥赖在床上了。对了，你有没有收到晴朗广告公司发来的应聘成功的短信啊？"

朱雨萌拿起床边的手机，看到没有任何新信息提醒，便摇了摇头："没有哦！"

听到这个答案，苏梅梅的笑容变得更加灿烂了，她晃了晃手机："是吗？你没有收到啊！真是可惜啊！我刚刚可是收到了应聘成功让我后天去上班的短信哦！"

看着苏梅梅一副得意的样子，朱雨萌感觉胸口被打了一拳。她苦笑了一下，然后拿起一旁的包子啃了起来。

跟什么过不去，都不要跟食物过不去……

"我就说你今天怎么会这么好心，原来是得到工作了啊。得到就得到了嘛，有必要这样刺激我们家的猪吗？别灰心啊猪，你会找到更好的下一家的！"尹小可一边大口地吃着包子，一边用含糊的声音安慰着看起来极其低气压的朱雨萌。

苏梅梅带着笑意看了朱雨萌一眼，靠在床沿慢悠悠地说道："哎呀，我也不知道雨萌没有收到短信，如果知道的话，我就会低调一点啦！哎呀，雨萌你不会觉得心里不舒服吧！千万不要不舒服啦！我是真的没想到，区区一个项目经理助理的工作，你都会面试不成功啦！我还以为，不管多么差的人去，都能够拿下呢！"

苏梅梅的话让朱雨萌不爽到了极点，这些句句带刺的话，让她仅存的食欲，在一瞬间都烟消云散，她放下包子说了一句"我吃饱了"，就又蜷缩回了床上。

"苏梅梅，你不要说话这么带刺啦！我们家猪是笨了一点，可还是很勤奋很努力的嘛！喂，我说朱雨萌啊，你可千万别灰心丧气！没什么的，工作可以再找，实在不行，你就去我家上班吧！我跟我爸说说。"

"我说尹小可啊，你可真够朋友啊！你是全市养猪大户家的女儿，衣食无忧，每天只要看言情小说就好了，可是你说朱雨萌，普通家庭，学习还有能力都一般，运气也不好，难不成你要让她去你家养猪啊？你还嫌她跟猪的缘分不够深是吧？"

听到这话，尹小可的脸上有些怒气，她用纸巾擦了擦嘴巴，然后没好气地回击道："苏梅梅，你什么意思？是瞧不起养猪的是吗？养猪怎么了？对啊，我家说白了就是养猪的！可我现在所拥有的一切都是那一头头猪换来的！我们家养猪能养成整个镇里的首富，你行吗？姐的名牌包包，国外游都是那些个猪换来的，你有吗？"

见到尹小可有些发怒，苏梅梅瘪了瘪嘴："我又没有说什么，你别反应这么大好不好？是啦，你是有钱，正因为你有钱，所以你可以在大家都辛辛苦苦找工作的时候，窝在寝室翘着腿看言情小说！"

尹小可拿过小说，冷冷地回了一句："是呀，所以你是羡慕嫉妒恨啦？"

两人你一句我一句的吵闹，让朱雨萌本来就郁闷的心情变得更加郁闷了，她把被子往头上一罩。

面试不成功的忧伤，只能用睡眠来治疗了……

就在做了这么一个伟大决定的时候，朱雨萌的短信铃声在此刻硝烟弥漫的寝室中响了起来。

朱雨萌拿过手机，只见屏幕上显示的是一个陌生的号码，那号码发来的内容是——

"亲爱的朱雨萌小姐，很高兴接下来的日子，您能够成为晴朗广告公司中的一员，有了您的加入，晴朗广告公司一定会更加的晴朗。"

看到这条短信，朱雨萌有些不敢相信地揉了揉眼睛。

竟然面试成功了？

自己竟然可以去晴朗广告公司工作了？

"朱雨萌，什么短信啊？你怎么傻了啊？"尹小可看着朱雨萌呆呆愣愣的表情问道。

苏梅梅也带着好奇的目光看着朱雨萌。

朱雨萌举着自己的手机，嘴角扬起一抹微笑："我被晴朗广告公司录取了！"

"哇！你也太棒了！我就知道全市最大的广告公司一定眼光不错！"尹小可兴奋地对朱雨萌竖起了一个大拇指。

苏梅梅原本嚣张的气焰也褪去了一些，她有些不情愿地说道："恭喜啊，以后就由同学变成同事啦！"

朱雨萌握着手机，激动兴奋的心情里，突然滑过了一丝不安的预感。

那预感像是一滴小小的黑色墨水，在白色的宣纸上，随着时间不知不觉一点点地渲染开来……

02

到了下午，激动和兴奋都退居最高堡垒，取而代之的是那越来越重的不安。

　　学校附近的饭店里，尹小可一边将蒸鱼里的香菜一点点挑出来，一边有些疑惑地看着坐在对面，像是灵魂出窍了一般的朱雨萌。

　　一般而言，如果是面试成功了，即便不会像苏梅梅那样得意，起码也应该是开开心心的吧？这个家伙怎么一脸苦大仇深像是得到什么噩耗的表情啊？

　　"喂，朱雨萌你到底是怎么了啊？从早上开始就有点奇怪了，你不会真的把苏梅梅的话听进心里去了吧？"尹小可按捺不住地问道。

　　朱雨萌双手托着下巴，语气有点蔫："怎么可能，要是把她的话听进心里，我都被堵了上百回了吧……"

　　"那你是怎么了？你面试不是已经通过了吗？还有什么值得在这里伤春悲秋，给我上演什么悲伤逆流成河的戏码啊？"

　　见尹小可疑惑不解的样子，朱雨萌叹了一口气："如果我告诉你，这个晴朗广告公司的大老板，被我拖着跟我假扮情侣，还听我讲一些什么有的没的的话，我还无比主动地要他留号码给我，你说，他是不是觉得，我是个神经病？或者是什么想要攀龙附凤的女生？可是，主要的问题是，我压根不知道他是大老板啊……"

　　说到这里，她用右手扶额，左手拍打胸口："你说我这是什么眼神什么运气啊！"

　　这一边完全听得云里雾里的尹小可给了朱雨萌一个"你在说什么啊"的眼神，然后问道："朋友，你能好好解释一下吗？我完全没有听明白，什么大老板，什么叫假扮情侣，还有你竟然敢主动留男生的电话号码？你胆儿变大啦！"

为了让尹小可明白整件事到底是怎么一回事，无奈之下，朱雨萌把整件事情的前因后果老老实实、巨细靡遗地说了一遍。

听完这个故事，尹小可脸上的神色越来越激动。她兴奋地拍了拍朱雨萌的肩膀："行啊你！竟然能够跟大老板来一段这样的邂逅，够偶像剧，够言情啊！天啊！你说你跟那个秦明朗的故事会怎么走下去？我的天啊！朱雨萌你要是成了大老板的夫人，可不能忘了我哦！等我哪天变成言情小说的作者，我一定要把你们的故事写下来！简直就是现代版的灰姑娘和王子嘛！"

对于身边有一个看言情小说已经看到疯魔的女闺密，朱雨萌感觉把这个故事告诉她完全是错误和无济于事的。

因为她不会帮你分析以后该如何正常地跟大老板相处，她只会无限地臆想故事的各种绝对不可能走向。

"喂，朱雨萌，这是好事，真不知道你有什么好烦恼的……"尹小可见朱雨萌对于自己的臆想丝毫不领情，便敷衍地安慰了一下。

"没有什么好值得烦恼？很值得烦恼好吧！虽然他不是我的直属上司，可他是我的直属大老板！天啊！为什么长得那么年轻清秀的一个人，竟然会是老板啊！老板一般不是大肚子就是秃子，即便这些都没有，也应该有一定年纪吧！一个看起来大学生模样的人，怎么可能是那么一家大公司的老板啊！"朱雨萌就差懊恼得捶胸顿足了。

"喂，拜托，小说里的老板们、总裁们，可都是大长腿，绝美脸庞，你知道什么啊！让你跟着我一起多看点小说你不肯！怎么样？吃亏了吧？"

朱雨萌白了尹小可一眼："拜托，那是小说，现实生活中怎么可能！"

"你懂什么啊！小说来源于现实！你知不知道这个道理啊！"

没有心思跟尹小可继续争辩下去，朱雨萌感觉自己整个人都不好了……

工作肯定是不想丢的，毕竟毕业时还是需要个实习证明，且能够拥有晴朗广告公司的实习经历，对于毕业以后找工作肯定是有帮助的……

可是，可是……

可是再遇到秦明朗可怎么办啊！

03

经过一天的深思熟虑，朱雨萌找到了如何面对秦明朗的方法。通过苏梅梅，朱雨萌打听到秦明朗的办公室在公司旋转楼梯处的二楼，一般如果不是有事要交代，他不会下楼。由此她想出的一个办法就是，尽量避而不见，反正自己的工作是给项目经理当助理，一般情况下，应该也很少能有跟大老板接触的机会，这样的话，就能够基本不见面，不见面就能让两人的纠葛随着时间变成一个模糊的回忆。

好不容易想到这个方法，朱雨萌立马兴致勃勃地告诉给尹小可听，可那妮子只是回给她一个无语的眼神。

虽然尹小可对于这个方法表示非常的不屑，但倒是让朱雨萌睡了个好觉，并调整好了心态迎接新的工作。

第二天跟着苏梅梅一起坐上去公司的公交车的时候，朱雨萌感觉到自己的心脏跳得跟平时不太一样。此时，她才感觉到自己已经变成上班一族了。

到了公司之后，朱雨萌感觉好运一点点地靠近了自己。首先她竟然成为了楚子昀的助理，其次她所在的创意项目三部是一个充满欢乐的大家庭，所有人看起来都异常的亲切和好相处。待在这样的环境里，朱雨萌感觉，自己的职业生涯开了一个好头。

一整个上午，朱雨萌都在熟悉部门里的各种资料，除了帮几个同事复印了几份文件外，还为楚子昀泡了一杯爱心满满的咖啡。

看着楚子昀认真工作的样子，朱雨萌心里的悸动一点点扩大，在她的眼里，楚子昀不管干什么，似乎都散发着别人没有的光芒。

没有被繁重的事物弄得团团转，没有收到同事的冷眼和排挤，反倒是得到了许多的温暖和友好的微笑，到了中午还被几个女生同事拉着一起去食堂吃饭，朱雨萌感觉自己简直像是进了天堂。

当然所有的兴奋和美满都有期限，在味蕾正被红烧肉的美味填满的时候，坐在自己身边的同事李美美突然说出的一个名字，差点让朱雨萌被红烧肉噎住。

那个名字就是——秦明朗。

努力咽下那块红烧肉，朱雨萌的眼睛已经开始泛着泪光，喝了口水之后，耳朵里这才传进了李美美还有其他同事的一些声音。

"喂，你们听说没？老板好像最近在跟明达房地产接洽呢！如果能把明达搞定，那么我们的年度任务就能轻轻松松完成一大半吧……"

"是呀，我们老板虽然才28岁，可能力真是没得说啊，虽然脾气总是冷冷冰冰的，来公司这么久，他似乎从来没有跟我讲过一句话呢！不过即便这样，也破坏不了，他在我心中的美好吧……"

"是呀，是呀，他可以算得上真正的高富帅吧，一米八的个头，那大长腿，跟很多韩国欧巴有得一拼吧！富就更加不用说了，帅也不用说了，不知道的人，把他当成大学生也不足为奇啊……"

听到这句的时候，朱雨萌表示赞同地点了点头。

不是自己一个人眼瞎啊，光凭外貌是很容易把他当成大学生的呀，谁知道他竟然比自己大了5岁……

"对了，雨萌，我听琳达说，面试那天你拉着老板似乎很熟的样子呢！你怎么会跟老板熟啊？"李美美见朱雨萌点头，便询问道。

听到这个问题，朱雨萌一下子愣住了，脑子短路了好几秒之后，她这才支支吾吾地回答道："哈哈，哈，哈，我怎么可能跟老板熟啊，怎么可能……"

她的解释必然得不到大家的信服，坐在李美美旁边的陈辰又补充问道："可是琳达确实跟我们说，你那天拉着老板说话啊，你可真够胆啊！"

朱雨萌的头已经低到不能再低了，脑子里转了很久，她这才抬起头，放下了手里的勺子，尴尬地笑了笑："没，没，我跟老板不熟的，那天是对公司不熟，所以刚好看见老板，就拉着他问个路。"

"问路？"所有人都对这样一个答案表现得更加疑惑了，几双眼睛纷纷放在了朱雨萌的身上。

见到自己越解释越糟，朱雨萌站起身，留下一句："我吃饱了，再见。"便以迅雷不及掩耳之势离开了饭桌。

从食堂走出来，朱雨萌摸着自己还没有完全吃饱的肚子，显得有些懊恼。

要闪也应该带着午饭一起闪啊，这下子既没解释清楚，还没填饱肚子，真是赔了夫人又折兵。

可让朱雨萌怎么也没有想到的还有，一分钟后当她低着头走进电梯，等电梯门关上时，她才发现自己身旁站着的是秦明朗大老板，更让人崩溃的是，电梯里就只有他们两个人。

感受着电梯里越来越稀薄的空气，朱雨萌感觉此刻的电梯上升的速度变得越来越慢，慢得自己都快要窒息了。

秦明朗全程都冷面地注视着前方，整个电梯里保持着诡异的安静。在这样的安静中，朱雨萌不自觉放慢了自己的呼吸，生怕呼吸的声音太大，会惊动了秦明朗。

电梯一层一层楼地上升，由于正是吃饭的时间，所以没有人进入电梯。朱雨萌感觉自己似乎应该要找点什么话题来说，比如问候一下大老板，问他吃饭了没？吃得怎么样？又或者对于自己有眼不识泰山表示一下抱歉之类的。

可是即便是简短的问候，都让朱雨萌拿不出任何的语气。

这样的情形，这样的感觉，朱雨萌感觉自己像是回到了小时候，第一次上课讲话，被老师逮住的那种心情。

紧张得无法言语的心情……

时间一秒一秒地过，秦明朗依旧面不改色，密闭窄小的空间还是被安静所包围。他本以为朱雨萌会跟自己热情地打招呼，就像前两天那样，没有任何的畏惧，没有任何的隔阂。可没想到，这个女生此刻却像是一只将要被宰割的猪，显得异常的不安和紧张。

她是在害怕自己吗？

因为发现了自己是老板这样一个身份，所以把她吓到了吗？

秦明朗这样想着，继续透过电梯门上反射的影子观察着朱雨萌。

朱雨萌自然不会知道秦明朗心里的想法，她依旧在跟自己的心理做着纠结的斗争，当她咬咬牙，终于鼓起勇气想跟秦明朗说话的时候——

"叮——"电梯门打开了，12楼到了。

那个已经在喉咙里的字只能随着那个大步离开的背影慢慢地吞回了肚子里。

04

"雨萌，你去把这份策划案交给老板的秘书安琪，老板的办公室从那个旋转楼梯上去就到了。"

"啊？"朱雨萌有点不敢相信自己的耳朵。

一整个下午，她都被接连而来的事情弄得团团转，先是给几个客户打电话征询对方的意见，紧接着又给各个同事又是买咖啡又是买下午茶，最后又跑了一趟市场部递交了几分材料。她感觉自己变成了名副其实的打杂的。好不容易歇了一口气，却听到了这么一个消息。

楚子昀以为朱雨萌没有听明白自己的意思，便将一沓资料放在了她的面前，重新说了一遍："这些是我们刚刚讨论决定的这一次依云服饰APP的广告策划案，客户那边已经表示非常满意了，你交上去给安琪，等老板签了字，这个策划案就可以顺利执行了。"

朱雨萌哭丧着脸接过那份策划案，本以为自己跟大老板的交集会变得很少很少，却没想到，工作的第一天，就会发生这么多的交集。

"怎么了？是有哪里不舒服吗？"看到朱雨萌的表情有些为难，楚子昀关切地问道。

"没有，没有，我马上去送。"朱雨萌苦笑了一声，便拿着策划案走出了办公室。

走上那个旋转楼梯，朱雨萌就感觉到自己的脚步变得异常的沉重，幸好这份资料只要给老板的秘书不用当面给他，要是当面给，自己肯定会因为无法呼吸而窒息致死吧……

一想起中午在电梯里的那段时间，朱雨萌就觉得不寒而栗。

怀揣着无比忐忑的心情，走完了旋转楼梯，朱雨萌感觉视线一下子开阔了不少，整个老板办公室是独立的一层，白色调为主显得整个场景极为的开阔和大气。在楼梯口不远处老板的大秘书安琪坐在主要位置，她的身旁坐着老板的行政秘书琳达，在她们两人的对面是被各种资料覆盖的，正忙碌不停的苏梅梅。

此刻安琪正在接电话，琳达则在电脑上噼里啪啦地一顿打字，不敢影响这陌生的两个人，朱雨萌只能拿着资料朝着苏梅梅走去。

"梅梅，梅梅。"

苏梅梅抬起头看了朱雨萌一眼，露出一副没好气的神态："你上来干什么？"

朱雨萌递过手中的资料："这个是要交给大老板的，你能帮我交一下吗？"

苏梅梅不予理会继续低头忙碌："不要给我，我没有权限给大老板，你要给安琪。"

碰了一鼻子的灰，朱雨萌只能硬着头皮朝着一旁的安琪走去。

等安琪打完了电话，她这才把资料递了过去："安琪，这是我们项目三部的资料，麻烦你给一下老板。"

安琪倒是比印象中要亲切温柔许多，她接过资料冲朱雨萌笑笑："好的。"

听到安琪爽快地答应，朱雨萌显然没有料到这项工作竟然这么容易就完成了，她探究地问道："那，那我可以走了吗？"

安琪看了朱雨萌一眼，笑了笑："嗯，可以走了。"说完她就起身朝着老板办公室走去。

看到自己终于完成了任务，朱雨萌的心情瞬间畅快了许多，她重重地松了一口气，踏着轻快的步伐朝着旋转楼梯走去。

还有半个小时就要下班了，第一天的工作就这样结束了，虽然忙碌却显得充实，最重要的是，终于可以摆脱大老板的阴影了！

就在朱雨萌感觉自己的心情好得快要飞起来的时候，安琪的声音在她的身后响了起来。

"送资料的女生，等一下。"

朱雨萌有点懵懵地回过头："嗯？"

"老板让你进办公室一下。"安琪说完之后，便给了朱雨萌一个暧昧不明的微笑。

听到这句话，朱雨萌的脑子里像是钻进了一万只蜜蜂。

"嗡嗡嗡——"

所有的好心情，一瞬间又跌倒了谷底。

大老板啊，你就放过我吧……

朱雨萌不断地在心中呐喊，可那阵呐喊在不可拒绝的命令面前，显得那么的微弱和渺小……

05

原地做500个俯卧撑还是进老板办公室，选择，做500个俯卧撑。

从此以后再也不留恋方华的自助餐还是进老板办公室，选择，不留恋方华的自助餐。

辞职还是进老板办公室，选择……进老板办公室。

假设了无数种的可能，到最后，朱雨萌还是选择了硬着头皮进老板的办公室。毕竟跟什么过不去，都不要跟自己的工作、自己的未来过不去嘛……

踏着沉重的脚步，朱雨萌朝着那个在自己眼中跟地狱一样恐怖的办公室靠近。

"砰砰砰——"她紧张地敲了敲门。

"进来。"是那个熟悉的有一点冷冰冰的声音。

得到了允许，朱雨萌推开了门，当老板办公室完完整整出现在她面前的时候，她这才意识到，一个人的办公室竟然大到可以用一望无际来形容。

由于秦明朗正在打电话，所以朱雨萌选择安静地站在了一旁。秦明朗的办公室大致分为3个部分，最前方是会客用的沙发还有茶几，整体的风格是浅色调，显得既温馨又有距离感，在茶几的背后是一大排书架，书架上除了放有书以外，还有很多玩具的模型，其中变形金刚最为多。中间是隔开茶几和办公桌的一条长长的走廊，走廊的尽头是有着电视机还有游戏机的休息区。而处于整个办公室的最后面最中心的位置，就是秦明朗的办公桌，此刻他坐在椅子上，用严肃又冷静的语调打电话的样子，跟几天前，朱雨萌在自助餐厅见到他穿着休闲装的样子，判若两人。

如果那天他用这样的姿态出现在她的面前，那她一定不敢死皮赖脸地贴着他，要求他跟自己假扮情侣了吧……

朱雨萌这样想着。

几分钟之后，秦明朗结束了通话，他看了看站在不远处像是有些惧怕自己的朱雨萌，从一旁拿过一叠资料冷冷问道："这是你拿上来的资料吗？"

"嗯。"朱雨萌连连点头。

一股不祥的预感慢慢地爬上她的胸口，该不会是这个策划案出了什么问题吧？

如果是的话，也不关自己的事啊，她只是个跑腿的，不会这么倒霉地撞在了枪口上吧……

朱雨萌的思绪已经拧成了一股麻花，只见秦明朗拿起那叠企划案然后不紧不慢地说："我看了你的简历，你简历上说，你大学有选修戏剧是吧？还参加了学校的戏剧演出是吧？"

虽然不知道秦明朗为什么会问出这样的问题，朱雨萌还是乖乖地点了点头。

当时在写简历的时候，苏梅梅说，应该把自己的表现和优点全部都体现在简历上，比如参加了什么活动，获得了什么样的奖励，拿到了多少奖学金等等。

本来大学生活就过得平平淡淡的朱雨萌，看着苏梅梅密密麻麻写上一大片，这才把自己选修戏剧，并参加学校戏剧演出的事情写了上去。

"哦，那就好，既然你有表演功底的话，那么你把这个策划案当成一个情景剧演出来吧，我今天看了一天的合同，已经没有心思再看下任何的字了……"

听到大老板的这个要求，朱雨萌在原地彻底石化了……

大老板竟然让自己把那个广告策划给演出来？

这是一个多么匪夷所思的要求！可以拒绝吗？当然不可以！

可是……

可是……

可是要知道，虽然她是选修了戏剧，也确实参加了戏剧演出，可她在戏剧演出中的角色是扮演一棵会动的树啊，从头到尾没有任何一句台词，只要在微风吹过的时候，轻轻扭动一下身子就可以了。

这样的她，如何做到将一整个广告都演出来啊！

老板确定是认真的，不是想要整她吗？

朱雨萌的额头滑下了无数道黑线，她感觉自己又一次被雷劈中了。

"给你5分钟把整个策划案看一遍。"秦明朗压根没有问朱雨萌到底要不要答应，就直接用了命令的口气。

奇怪的是，明明心里很想要反抗的朱雨萌，纠结了一两秒还是放下了所有的节操，走过去接过了策划案。

策划案是关于一个卖衣服的APP广告，所以主要是想要凸显智能和便捷。内容比较简单明了，讲的是几个年轻人因不同场合的需要，不停地滑动手机来变换身上的着装，最后再统一拿着照片亮相。

看完整个策划案，朱雨萌感觉想要表现出来其实也不是太难，只是在一个不太熟悉的人面前表演这件事情还是有让人点头皮发麻。

　　"看得怎么样了？已经做好准备可以演示出来了吗？"几分钟之后，在朱雨萌还在纠结是否真的要当面演出来这件事情的时候，秦明朗从繁忙的事务里抬起头问道。

　　朱雨萌被这么一催，整个人立马清醒了一些，她表情有些无奈："嗯，嗯，好了，准备好了。"

　　"好，那就开始吧。"秦明朗露出了一个期待的表情。

　　朱雨萌放下手中的策划案，咬咬牙在心里默默为自己加油鼓劲一下便开始表演起来。

　　"整个广告的最开始，是一个18岁的年轻女生在镜子前正纠结着自己到底要穿什么样的衣服去成人舞会。"说着，朱雨萌开始模仿起女生不断试衣服的样子。

　　"可挑了很久，她都没有挑到合适的衣服，这时候她灵光一闪，拿出自己的手机，然后打开依云APP，最终挑到自己喜欢的衣服，并通过一个镜头的转换，她换上了心仪的衣服去了舞会现场。"朱雨萌提着裙子，露出自信的表情。

　　"第二个是说一个25岁的摇滚女生第一次要见男朋友的爸妈，可无奈她的衣柜里都是比较朋克和黑暗系的衣服。"朱雨萌说到这里摆出了一个摇滚的姿势。

　　"可是这样肯定是不行的，最后她也选择了依云的APP，这款APP

非但帮她找到了合适的衣服还帮她找到了合适的高跟鞋。到这里广告就已经到尾声了，最后放出APP的搜索方式，并打上'依云APP，每个女生都想要的APP'这样的广告词，这样就结束了。"

终于完成了所有的表演，朱雨萌这才松了一口气。

而一直观察着朱雨萌表现的秦明朗，嘴角也难得地露出了一抹难以察觉的笑容。

"老板，整个策划案就是这样了，你觉得怎么样？"没有得到任何反馈，朱雨萌总感觉心里面毛毛的，生怕是因为自己表现得不够好，从而让老板把这个策划案给否决了。

秦明朗挑了挑眉，带着暧昧不明的微笑看了朱雨萌一眼："如果你是女生你会喜欢这个广告吗？"

"当然会喜欢啊！这个广告简单又直接，还有情景故事性，我觉得很好。"朱雨萌赶紧夸赞。

"嗯。"秦明朗像是有所思考地点了点头，然后说道，"嗯，那就这样吧。"说着他就在策划案上签了字。

看到老板签字，朱雨萌一直提着的心这才放了下来。

"喏，签好了，拿走吧。"秦明朗将签好字的策划案递给了朱雨萌。

朱雨萌接过策划案，连连道谢："谢谢谢谢，那我走了啊……"

拿着策划案走出老板办公室，朱雨萌脑子里就浮现了一个词语，那就是——"绝处逢生"。

在这之前，她还以为这个词只有在武打电影里才会出现。

可她怎么也想不到的是，等她走出办公室，一直冷冰冰的秦明朗，竟然露出一抹无比阳光灿烂的笑容。

秦明朗其实已经察觉到朱雨萌对自己的害怕，本来他还挺怀恋，最开始见面，朱雨萌那番故作熟悉的样子，可现在，他觉得，让她害怕倒也是一件挺有意思的事情。

他想要织一张很大的网等着朱雨萌这头笨笨的猪往里面跳……

嗯，如果是那样的话，应该会更有意思吧……

06

拿着签好字的策划案慢慢走回办公室的朱雨萌，感觉人生都变得轻松了。

在这之前，她没有想过，找老板签个策划案竟然是这么困难的事情，可这么困难的事情，都被她搞定了，想必楚子昀一定会对她刮目相看吧！

说不定这样的话，自己在他的心里也会加分不少吧……

想到这里，朱雨萌就忍不住偷笑起来。

"雨萌，老板已经签好字了吗？"还没等朱雨萌将自己的得意收起来，楚子昀就端着咖啡站在了她的身后。

朱雨萌带着想要听到夸奖的表情看着楚子昀，用力地点了点头："嗯，已经签好了。"

　　楚子昀接过策划案看了一下，露出满意的表情，然后就非常自然地朝着办公室走去。

　　看着楚子昀的背影，朱雨萌觉得非常的不可思议。照理说，像楚子昀这样温暖又喜欢表扬别人的人，看到自己完成了这么艰巨的一个任务，应该给予表扬或者温暖的微笑吧……

　　可是，他竟然就这样直接走掉了！

　　他知道找老板签个名字是有多么不容易吗！

　　带着不甘心的心情，朱雨萌慢吞吞地朝着办公室挪去。

　　刚走进办公室，就看到同事们正在热火朝天地讨论着什么。楚子昀也加入他们其中，显得很是开心的样子。

　　"雨萌来了，要不让雨萌跟着我们一起去吧，虽然是新人，可也算是我们部门的人啦！"见到朱雨萌走进来，李美美热情地招呼道。

　　朱雨萌歪着头，有些困惑："要去做什么吗？什么一起啊？"

　　"去吃饭喝酒啊！你也跟我们一起吧！好不容易完成了一个策划案，大家也应该放松一下啦！"李美美解释道。

　　"是呀，一起去吧，经理呀，我们部门也很久都没有搞过活动了吧？要不要请大家一起HAPPY一下啊！"陈辰开始怂恿楚子昀。

　　"这几个月我们都没有搞过活动了，老大该不会背着我们偷偷交女朋友，所以不跟我们一起活动了吧！"穿着黄色T恤的黄子雄说道。

　　听到"女朋友"三个字，朱雨萌的心一下子提到了嗓子眼。

　　对哦，还不知道楚子昀有没有女朋友呢！

如果有女朋友了，自己就肯定没有希望了啊……

"没有没有，好吧，看来大家都觉得我这段日子冷落了你们，那好吧，今天就我做东，请客吃饭好不好？"

听到楚子昀说没有女朋友，朱雨萌的心情这才明朗了一些。

"好，有免费的好吃的啦！"所有人都开心地附和。

朱雨萌站在原地也跟着大家一起笑，可她从来都没有参加过这种同事聚会，所以心里还是会有些紧张和不安。

"雨萌，你也跟着一起吧，虽然是新人，但未来还要一起相处的。"楚子昀走到了朱雨萌的面前邀请道。

朱雨萌看到楚子昀的眼睛，所有的顾虑都消失了，她猛地点了点头："好的，好的。"

见朱雨萌答应，楚子昀露出了招牌式的温暖迷人的微笑。看着这样的微笑，朱雨萌感觉自己整个人都要沦陷了……

果然是性格温柔的人，连笑容都那么的明朗……

不像那个冰山老板，连笑容都给人一种不寒而栗的感觉……

一想起秦明朗的脸，朱雨萌还是忍不住颤抖了一下。

上天保佑，千万不要再跟冰山大老板有任何的交集啊……

她只是想要拿到个实习证明，等拿到了证明，她就永远不跟晴朗广告公司发生任何的交集……

当然，除了楚子昀……

03 CHAPTER

第三章

对谁都能有意见，对老板绝对没意见！

工作数是好，工作后看期的世界还有人以及人非都比在学校要开阔得多……

01

下班后，部门一行人来到了公司附近的高档中餐厅。朱雨萌看着发亮的地板，服务员毕恭毕敬的服务，还有菜单上价格不菲的食物，朱雨萌开始庆幸，幸好是楚子昀请客，不然自己一定狠不下心点任何的食物，最后估计只能狠心点这里最便宜但是对朱雨萌来说已经是天价的50块一杯的气泡水充饥。

"雨萌想吃什么随便点啊，这里的菜式都挺不错。"楚子昀冲朱雨萌说道。

朱雨萌感激地点了点头，"嗯，我会的，其实我不挑食的，什么都吃，所以，你们点就好了。"

楚子昀摆了摆手："那可不行，虽然什么都不挑，但一定也有自己最喜欢吃的东西，所以啊，这群家伙你不要顾及了，因为他们都会点自己最爱吃的，可不会顾及别人哦。"

听到楚子昀的话，朱雨萌愣了一下，随即笑笑："好的，那我就点一个我的最爱吧！"

说完，她指了指菜单上的虾皇粉丝水晶煲冲服务员说道："我要这个。"

见朱雨萌终于点了菜，楚子昀这才露出了释怀的微笑。一旁的陈辰看到这一幕，语气有些怪怪地说道："哎呀，部长，怎么没见你这么细心地让我点菜呢？"

被陈辰这么一讽刺，朱雨萌的脸立马红了起来。

本来只是楚子昀一个善意又自然的行为，在陈辰怪声怪调的挤兑下，怎么感觉两人像是有点什么暧昧似的……

当然，如果真的有暧昧，朱雨萌觉得自己一定会兴奋得飞起来。

"你们都是老油条了，哪里需要我一个个问候啊，都会自己点，从来不带客气的，所以我也不想浪费唇舌了。雨萌不一样，她是新人，还是大学生，踏入社会不久，第一次参加同事聚会自然会紧张，所以我才要多多关照她。"说完，楚子昀还看了脸红得像是番茄一样的朱雨萌一眼。

朱雨萌被楚子昀这一眼看得整个人都有些焦灼，视线也开始在餐厅里面游走，仿佛不管放在哪里都有些怪怪的。

而这一边的陈辰也打消了挤兑两人的想法，跟着其他同事开始火速讨论起公司的八卦，楚子昀也时不时地加入战局，不过他并不是八卦，而是淡淡地讲出八卦的实情。

见这些八卦都跟自己没有什么关系，朱雨萌将视线定格在了不远处的电视屏幕上。电视上正播放着时下最火热的偶像剧，如今的偶像剧已经不再是灰姑娘和白马王子的路线，而是灰姑娘有可能和白马王子是亲兄妹，在经历过相爱却又不能爱的纠葛之后，通过一场车祸或者一场大病，这才发现两人其实没有兄妹关系，并由此又解开了两个家族的爱恨情仇，于是又上演一轮相爱又不能在一起的戏码。把这些必备情节演一遍，一部不少于30集的偶像剧就这么诞生了。

而此刻电视上正上演着的《偷偷想念你》就是这样一部偶像剧。对于朱雨萌而言，这样狗血的剧情必然是无法直视的，只是扮演女主角的电视明星王芯优可以算是她喜欢的女明星之一，所以即便剧情狗血，但为了王芯优她还是坚持看了几集。

毕竟如果女主角漂亮，男主角帅气，很少人会在乎到底真正演了点什么嘛……

就在朱雨萌的视线全被楚楚可怜梨花带雨的王芯优所深深吸引的时候，李美美的一句话让她整个人再也没有办法直视这部电视剧。

"咦，你们看，王芯优又拍了新的电视剧了，她跟大老板分手之后，星路还真是越来越顺畅啊……"

听到这句话，朱雨萌有些不敢相信地瞪大了眼睛。

这个王芯优竟然是大老板的前女友？

大老板的前女友竟然是王芯优？内地第一清新女星王芯优？

本来不想听八卦的朱雨萌，这一刻也忍不住偷偷地竖起了耳朵。

　　而李美美的一番话则是彻底改变了整个饭局的整体八卦走向，女生们纷纷一边看着电视，一边开始你一言我一语起来。

　　"是呀，记得大老板刚跟王芯优谈恋爱的时候，她就总是一副自己是老板娘的架势，那神情那架势跟在电视上那副清新可人的模样可是差了远了。"

　　"是呀，还记得有一次，不知道是琳达还是安琪得罪了她，她直接在办公室破口大骂，最后被老板知道了，这才跟她分了手，她还死皮赖脸一直缠着老板不放。"

　　"不过她现在是越来越红火了，不知道老板会不会跟她旧情复燃。"

　　"那应该不可能，以老板的脾气，怕是早已经看清了她的假面具，这才会分的手，听说大老板一共谈了3次恋爱，可3次恋爱时间都非常的短，也不知道是老板有问题，还是他的那些女朋友有问题，真不知道，老板的真爱到底是什么样子的女生……"

　　看着女生们叽叽喳喳讨论大老板的八卦，一旁的男生们开始不乐意了，其中一个带着埋怨的语气说道："你们瞎八卦老板什么，他的真爱虽然不知道到底是什么样的，但一定不会是你们这样的。"

　　这样一句总结，让所有女生都有点酸酸地瘪了瘪嘴，从而终止了这个话题。一直处于只听不说状态的朱雨萌，则是因为刚刚听到的内幕在心里划下了一道大大的感叹号。

　　女明星私底下和在荧幕上果真是有着天与地的差别！而吃了这么一

顿饭，就让自己看清了偶像的真面目！

这样的震惊一直到吃饭结束，朱雨萌都还没有缓过神来，她一直纠结着，以后到底还要不要把王芯优当成最喜欢的女明星之一。

有可能是大老板自己性格冷冰冰，才让王芯优恼羞成怒，一不小心给大家留下了这么多的坏印象呢？

可又或许，王芯优真如大家所讲的那样，有些骄纵有些不近人情吧……

想了很久之后，朱雨萌得出了一个结论，工作就是好啊，工作后看到的世界还有人以及八卦都比在学校要开阔得多得多……

02

自从昨天晚上参加过一次同事聚会了之后，朱雨萌跟其他同事之间的关系也算是打开了，今天一到午休时间，正犯愁不知道该吃些什么的时候，李美美还有陈辰就对她发出了邀请。面对这样的热情她想也没想就一口答应。

可让朱雨萌怎么也想不到的是，李美美和陈辰竟然去了昨天晚上的那家餐厅，对那里的人均消费还心有余悸的朱雨萌，一踏进那家餐厅整个人就彻底凌乱了，可为了保持同事情谊，她也只能打碎牙往肚里吞。

李美美和陈辰两人根本没有怎么顾及朱雨萌，听到她说自己不挑食，什么都吃以后，两人就自顾自地把自己喜欢吃的给点了。

就这样小小一顿午餐，AA制平摊下来，平均每人就花了150块。想着自己的钱包立马就空掉了一大半，朱雨萌就有种欲哭无泪的感觉。

"雨萌啊。你多点吃啊，这里的鱼是非常出名的，昨天来晚了所以卖光了，你都没吃上。"李美美指着其中一盘被装饰得异常美味的鱼说道。

朱雨萌苦笑着点了点头。

"以后我们都可以一起吃午餐啊，反正我跟美美两人每到中午都不知道该吃点什么。"陈辰提议道。

李美美面对这个提议立马附和："是呀，是呀，以后我们三人就一起吃午餐吧，3个人吃饭总会比两个人划算的。"

想到如果每天跟她们俩在一起吃饭，自己估计会提早宣布破产，朱雨萌就有点犹豫。

"哎呀，雨萌，你怎么一副不太乐意的样子啊，怎么？你是不喜欢跟我们一起吃饭吗？"陈辰的表情看起来有点不太开心。

"不会吧，雨萌你不想跟我们一起吃饭吗？我可是很喜欢你呢！你真是太让我伤心了！"李美美也噘起了嘴。

看着两人如此盛情相邀，朱雨萌也不知道怎么拒绝，只得勉强地点了点头，然后挤出一丝微笑："嗯，好的，以后一起吃饭吧！"

得到朱雨萌的答应，陈辰和李美美这才又换上笑脸。

可她们是换上了笑脸，朱雨萌则是感觉整个人食之无味，没有力气。

小小的饭局上，李美美和陈辰热火朝天地谈论起某名牌今年的新款，对于奢侈品一窍不通的朱雨萌只能闷着头努力吃饭。

"呀，你们都在呢！"突然出现的声音，让原本焦点都在食物上的3个人先后抬起了头。

眼前出现一个身材高挑，面容俊朗，笑容迷人的栗色头发的男生，他冲3个人挥了挥手。在男生的身边，是一身冰冷气息，表情严肃的秦明朗。看到秦明朗还有那个男生，陈辰和李美美的表情立马变得柔软起来。

"老板，吴总监，你们好。"两人亲切地跟两人打着招呼。

朱雨萌这时也反应过来，跟在秦明朗身边的那个男生就是第一次进公司时不停在自己伤口上补刀的那个男生。

"大老板好。"朱雨萌低着头也淡淡地礼貌性地问候了一声。

"呀，没想到你竟然过了面试啊，不错啊！"栗色头发的男生带着调侃的口吻冲朱雨萌说道。

朱雨萌尴尬地笑了两声，完全不想接话。这个补刀狂人，不知道自己如果接话，他会说出什么丧心病狂的话来。

"走吧。"一直没有说话的秦明朗像是召回宠物一般，冲正准备跟女生们侃侃而谈的栗色头发男生说道。

栗色头发男生看了秦明朗一眼，瘪了瘪嘴："那我走了哦，你们慢慢吃。"

"再见，吴总监，老板。"

"再见，老板，吴总监。"李美美和陈辰两人纷纷挥手。

等到两人走远，朱雨萌这才把疑惑问了出来："那个人是谁啊？"

李美美放下筷子，一本正经地跟朱雨萌说道："雨萌，你怎么能这么孤陋寡闻呢？那个人就是我们公司外联部的总监吴佑轩，别看他年纪轻轻，他的公关能力可是超级强哦！跟老板好像是一起长大的，两人感情很好，所以在公司呢，他也是比较自由的，不是很常按点上班，不过即便是这样，他们外联部的工作也完成得相当出色，所以公司里的人也不会有什么流言。"

听到这里，朱雨萌表示懂了地点了点头。

能够跟大老板变成好朋友的人，性格应该不一般……

面对刚刚发生的小插曲，过了两分钟，朱雨萌就彻底遗忘了，倒是李美美和陈辰两人完全没有了吃饭的心思，开始纷纷花痴起秦明朗和吴佑轩。

对于朱雨萌而言，一个冰山一个补刀狂，都没有什么值得好花痴的……

倒是办公室里那个总是带着温暖微笑的楚子昀，总会让她的心不时有悸动的感觉……

想到这里，朱雨萌露出了一个甜甜的微笑。

而这时，在结账的一楼，秦明朗把自己那桌买单了之后，还把朱雨萌那桌的单顺便一起买了。

看到他这样的举动，吴佑轩有些疑惑："以前怎么没看到你主动帮员工买单啊？不是说，对员工不能有太多的私人感情吗？"

秦明朗面不改色，淡淡地说："顺便买一下能有多大的关系……"

"关系大了！你秦明朗可不是这样的人！该奖励的时候从不吝啬，可也不会没有任何原因地帮别人买单。有点古怪，有点古怪……"吴佑轩托着下巴，做出一副思考的样子。

秦明朗没有理会他，接过服务生的找零径直向前走。

"你等我，等等我！"吴佑轩也跟了出去。

上了车之后，吴佑轩这才像是懂了什么似的，响亮地拍了一下手，然后指着秦明朗说道："你是看到那个新来的女生，被李美美还有陈什么的拉着一起吃饭时犹豫的表情，还有我跟你说她一个大学生负担不起这样的价格，才会主动付账的是吧？"

谁知吴佑轩兴致勃勃地说了这么一大堆，秦明朗只是淡淡地回了两个字："不是。"

"不是什么啊！我看就是！那个女生叫什么啊！难不成你对她有意思啊？不是吧？这么劲爆啊？难道被我猜对了？可是那个女生长相顶多算是可爱，身材就不用提了，还处于初中生阶段，如果你喜欢她的话，那是看上了她什么啊？"吴佑轩展开了漫无边际的想象。

秦明朗冷冷地看了他一眼，像是对待狗仔队记者一样，兀自开着车，完全没有理会他的意思，任由他在自己耳边叽叽喳喳。

03

"雨萌，一起吃饭去吧？"中午休息时间一到，李美美就冲朱雨萌说道。

朱雨萌抓了抓头，有些为难，昨天那顿饭幸好是有大老板请客，钱包才没有破产，为了庆祝这意外惊喜，她下午下班还拉着尹小可吃了顿好的，今天要是再跟她们一起吃，自己余下的十多天，可能只能吃泡面度日了。

"是呀，雨萌一起去吃饭吧？今天我们吃什么呢？中餐还是西餐，要不我们去新开的那家日本餐厅吃吧？"陈辰开始提议起来。

朱雨萌站起身，心里想拒绝可嘴巴却不知道怎么开口。

"愣什么呢？走吧，要不我们就去那家新开的日本餐厅看看。"李美美拿起包包朝着朱雨萌走来。

朱雨萌勉强地笑笑，无可奈何地拿起了包包，心想着，也只能认命了。

"朱雨萌。"就在无奈接受午餐提议的时候，一个声音在办公室门口响起。

只见老板的秘书安琪一脸笑意地朝着朱雨萌走了过来。

"朱雨萌，大老板让你去他的办公室一趟。"要是平时，如果听到大老板的召唤，朱雨萌一定溜之大吉，可是今天，她忍不住连连点头。

"对不起啊，美美，陈辰，我要去办公室一趟，所以没有办法跟你们一起吃午饭了。"朱雨萌假装有些歉意地说道。

李美美连连摆手："没关系，没关系，听大老板的吩咐比较重要，那我们先去吃饭啦！"

"是呀，是呀，你还是去大老板那里吧，指不定有很重要的事情要找你。"陈辰也赶忙接话。

见两人都没有生气也没有任何意见，朱雨萌这才彻底松了一口气，随着安琪一起走了出去。

一边走着旋转楼梯，朱雨萌一边在心里纳闷，大老板到底找自己会有什么事情呢？如果是关于工作的事情，那么他找安琪就好啦……

"安，安琪，请问一下，大老板他找我到底有什么事情啊？"虽然逃过了破财这一劫难，但跟大老板见面也不是什么轻松的事情。

安琪笑笑："我也不知道呢，大老板只是让我来找你，也没说到底找你有什么事情。"

见安琪也没有答案，朱雨萌心里更是忐忑了。

走进了秦明朗的办公室，朱雨萌感觉自己紧张得有点手足无措，她站在原地久久没敢开口。

几分钟后，等秦明朗从一堆文件中抬起了头，这才对站在一旁的朱雨萌说道："看了一上午的文件，眼睛很酸，头也很痛。"

听到这句话，朱雨萌愣了一会儿，完全不知道该如何接话。

大老板眼睛很酸？头很痛？他跟自己说这些，是希望自己去帮他买眼药水，或者是按摩吗？买眼药水倒是没有问题，只是按摩，她还真是不会……

如果他说这话的意思真是让自己给他按摩买药，那自己岂不是从临时演员变成了女佣？

天啊，她堂堂一个大学生，竟然沦落到女佣的地步……

光是想着，朱雨萌就有种欲哭无泪的感觉。

"可即便是这么累，还是有策划案没有看完。"这时，秦明朗举起手中的策划案冲朱雨萌扬了扬。

朱雨萌看着那叠策划案，勉强地挤出一丝微笑："老板，您真是辛苦了，全公司最辛苦的就是您了。"

她也不知道为什么自己会突然蹦出这么一句，或许是因为老板说的话，对于她而言，都有点太难懂了吧……

"所以还是像上次那样，你把这个广告策划里的内容给我演出来吧，这样我比较好懂。"

听到秦明朗的真正目的，朱雨萌站在原地整个人就石化了。

不是吧……

自己又要做那种当面表演的蠢事情？

"喏，拿去吧。"秦明朗挥了挥手中的策划案。

朱雨萌看着那沓策划案，感觉要迈开步子走向它是一件非常艰难的事情。

在没有来应聘工作的时候，她听许多同学说，工作了会有无止境的加班，还有一些公司内的钩心斗角。

可是她怎么也没有想到，会发生今天这样的状况……

"快一点，难不成你是不想演吗？"见朱雨萌慢吞吞地挪动，秦明朗拧了拧眉头。

"没有，没有。"朱雨萌嘴巴上说没有，心里却想，那哪里是策划案啊，摆明就是圣旨嘛！

小心接过"圣旨"之后，朱雨萌就飞快地把策划案扫了一遍，这一次是关于一个牙膏的广告，自己要扮演的角色分别是，牙齿、虫子还有牙膏。

看来即便脱离戏剧表演如此之久，自己的角色还是没有任何的长进嘛……

看完策划案之后，朱雨萌就硬着头皮把整个广告都演了一遍，她自然是无奈又满肚子的苦水，可这靠在椅子上一直在观看的秦明朗，则是看起来心情似乎挺好。

等朱雨萌表演完毕，秦明朗忍住笑意，难得地用夸赞的口吻回应了一下刚刚的表演："嗯，不错，这一次比上一次有进步。"

不知道怎么回应，朱雨萌只能尴尬地苦笑两声："呵呵。"

是呀，她除了"呵呵"还能怎样，上一次好歹演的是人，却没有得到任何的夸赞，今天自己又是演牙齿又是演虫子的，倒是得到了夸赞。

想起来，似乎还有点讽刺呢！

"你觉得这个策划案怎么样？如果你是消费者，你会因为这个广告而去选择使用这款牙膏吗？"秦明朗问道。

朱雨萌盯着手中的策划案想了一下："会的，因为这个牙膏的主要受众群是小孩子，而对于小孩子而言，广告就是要可爱又好懂，这个广告不仅用的是动画和真人相结合的模式，还异常的简单好懂，所以我想如果我是小孩子的话，会因为这个广告而选择这款牙膏。"

听着朱雨萌的解释，秦明朗表示赞扬地点了点头。

看着自己的任务终于完成，朱雨萌就准备退下了，可话还没有说出口，秦明朗就拿起一叠文件，看着她问道："你中午还有别的事情吗？"

看着秦明朗手里的那一沓厚厚的资料，朱雨萌吞了吞口水，心里忍不住泛起了嘀咕。

这个老板不会没有人性地让自己一个中午都为他表演策划案吧？

天啊，她实在是不想演了，实在是太丢人了……

"怎么，你是还有别的事情吗？怎么看起来，你好像有点心不在焉啊？"秦明朗冷冷的声音响起。

朱雨萌察觉到秦明朗的情绪似乎有些不对劲，她连连摆手："不是，不是，不是的……"

"不是，那是什么？"

"是，是……"朱雨萌不知道如何接话，心里都是懊恼，都说这伴君如伴虎，自己怎么都忘记要打起十二分的精神呢！

"是什么？"秦明朗继续追问。

"是，是我饿了！对，饿了！"朱雨萌脱口而出。

听到这句话，秦明朗露出一丝淡淡的微笑。看着这丝微笑，朱雨萌感觉到了大老板浑身上下都散发着人性的光芒。

看他似乎心情还挺好的样子，应该会放自己去吃饭吧……

毕竟没有哪个老板会让员工饿着肚子工作吧?

朱雨萌猜想着秦明朗微笑背后的含义,可她怎么也没有想到,迎接自己的下一句竟然是——

"饿了的话,那就一起去吃午饭吧!"

04

跟大老板一起坐在人来人往、同事云集的食堂,朱雨萌感觉自己眼前的世界都停止了。

脑子里就剩下一个声音,那个声音就是——

朱雨萌你脑子被门挤了啊! 竟然答应跟老板一起来食堂吃饭!

是呀,5分钟前,大老板说要一起吃午饭的时候,朱雨萌实在想不到拿出什么样的理由来推脱,只能答应了,却没有想到,老板竟然把自己带到食堂来了。

看着许多同事都忘记了吃饭,关注地看着大老板和自己,朱雨萌就想找个东西直接把自己敲晕,假装看不到。

而面前的食物也因为紧张和为难的心情,顿时少了好多吸引力,变得索然无味。

"怎么不吃啊? 食堂的饭菜不合胃口吗? "秦明朗一边吃一边看着朱雨萌说道。

朱雨萌迎着那些火辣辣的目光,一边小心翼翼地往嘴里塞着食物,一边回答道:"呵呵,没有没有,食堂的饭菜很好吃。"

"那就好，多吃一点，记得那天在自助餐厅，你可是很能吃的。"

"噗——"秦明朗的一句话让朱雨萌直接把嘴巴里的饭喷了出来。

她实在是没有想到，在这样窘迫的时刻，秦明朗还跟自己提自助餐厅的事情……

看着饭盘里自己喷出来的饭粒，以及不小心喷到秦明朗饭盘里的饭粒，朱雨萌只想找个地洞钻进去。

"对，对，对不起啊，老板……"朱雨萌哭丧着脸，突然有种死到临头的感觉。

自己这么三番两次地得罪大老板，以后一定不会有好果子吃……

到时候恐怕就不是做个临时演员那么简单了……

"看来食堂的饭菜果真不合你的胃口啊……"秦明朗似乎一点也没生气，看着朱雨萌倒是露出一副好笑的表情。

像是一只受惊的小猪一样的朱雨萌，看到秦明朗竟然没有生气，她的脸上写满了疑惑："啊？"

老板竟然没有责怪自己，也没有当场发怒，还说出这么不明所以的话……

所以，现在是要怎样啊？

自己是应该负荆请罪还是？

就在朱雨萌慌张得不知所措的时候，对面的秦明朗拿出一张纸巾递给她："喏，擦一擦吧，嘴角有饭粒。"

朱雨萌忐忑地接过纸巾，忙道："谢，谢，谢谢老板。"

擦掉嘴角残留的饭粒，朱雨萌是彻底不想吃了，要自己在这么多目光中吃饭，还不如让自己饿死呢！

"突然想起公司门口那家拉面馆味道挺不错，要不然我们去那里吃吧？"秦明朗再一次提议。

朱雨萌有些为难："啊？"

不是吧，好不容易想说吃完饭自己就解脱了，这会儿又被拉着去吃拉面？

怎么有一种吃着吃着就遥遥无期的感觉？

"走吧。"秦明朗站起了身，换上了命令的口吻。

朱雨萌也跟着有些不情愿地起了身。没办法，谁让他是大老板呢？他说去吃拉面就去吃拉面吧，他说让自己上刀山下火海，自己也得从啊，不是吗？

从食堂里出来，秦明朗就带着朱雨萌到了公司附近的一家环境优雅的日系拉面馆。比起刚刚在食堂里的浑身不自在，这家没人认识她的拉面馆让朱雨萌放松了下来，甚至都忘记了，跟自己一起吃东西的是大老板秦明朗了。

香喷喷的冬阴功拉面端上来之后，朱雨萌的味蕾就被彻底地释放了，她低头开始认真地吃了起来。

经过一个中午的折腾，她也是真的饿了。

在这样一个有着让人摸不清楚思绪的老板的公司工作，还真是件不容易的事情……

05

"呀，你听说了没啊？三部那个新来的，昨天竟然跟老板一起吃饭呢！"

"是的，是的，琳达很早不是说了吗？她刚来面试的时候，就跟老板套近乎了，一听就知道，肯定是个有企图心的人。"

"这样说来也是哦，现在的女生们为了接近老板，真是什么事情都做得出来……"

自从昨天跟秦明朗在食堂一起吃了饭之后，回到寝室就立马接受到了苏梅梅的拷问，今天一大早到公司又听到了不少同事的议论。

果真跟大老板一起走进食堂，就是人生之中最错误的选择。

早知道会遭受这么多无妄的猜测，她昨天是宁愿饿肚子也不会跟老板一起去食堂吃饭的！

朱雨萌一上午都是顶着无数探究的表情还有没有来由的议论度过的，连平时对自己还算热情的李美美现在对自己也是一副爱理不理的样子，更加让人郁闷的是，楚子昀看到她也是一副欲言又止的神情。

朱雨萌感觉自己什么都没有做，就被没来由地泼上了不同的色彩……

终于熬到了中午，想起昨天的惨剧，朱雨萌背起包包冲一旁的李美美和陈辰说道："美美，陈辰，我们一起吃饭去吧！"

听着朱雨萌的话，李美美和陈辰两人相互看了一眼，然后李美美用有些酸酸的语气说道："我说雨萌啊，你都跟大老板一起吃饭了，怎么还会想到跟我们一起吃饭啊……"

"是呀，我们现在可是不敢跟你吃饭啊，不然不就是公开跟老板抢人吗？我可是不敢，你可不要害我。"陈辰也开始补枪。

朱雨萌有些尴尬，可为了避免又被叫去老板办公室，她还是硬着头皮跟两人解释道："昨天的事情，是老板让我上去谈工作的事情，由于谈得比较久，看我可怜没有中饭吃，所以才带我去食堂吃的。"

"是吗？老板跟你有什么工作上的事情可以谈啊？"李美美的语气有些怀疑。

朱雨萌停顿了两秒思考了一下，这才瞎掰出一个理由："那，那，那是因为，他是想要知道，像我这种底层的新晋员工对于公司的一些看法，你们也知道，老板他还是一个比较重视员工心理的这么一个老板嘛……"

听着朱雨萌的解释，陈辰上下打量了她一阵，说道："我也觉得你跟老板根本不会像传说中的那样，有什么暧昧啦，你看起来也未免太普通了，跟老板简直就是不可能嘛……"

"是啦，是啦，简直不可能嘛……"朱雨萌连连表示赞同。

"那倒也是啦，老板以往的女朋友不是什么名媛就是什么偶像剧明星，怎么也不可能跟一个小职员，并且还是一个没有毕业的大学生发生点什么吧！"李美美也提出了怀疑。

"是呀，是呀！"见两人开始相信自己的话，并相信自己跟大老板没有什么，朱雨萌赶忙兴奋地表示赞同。

天啊，要是公司的人都能够像她们两个一样，这么理性地分析她跟老板之间的关系，她也就不用这么烦恼了啊……

她只有一张普普通通的娃娃脸，还是个没毕业的大学生，处于公司的最底层，怎么可能跟高高在上万人敬仰的大老板发生点什么呢！

用脚趾头想，都觉得不可能嘛！

"好啦，那如果你不用跟大老板吃饭的话，你还是跟我们一起吃饭吧……"李美美豁达地对朱雨萌发出了邀请。

"是呀，是呀，一起吃饭吧，两个人吃饭真是贵死了。"陈辰也表示了同意。

即便是要花去大半的生活费，朱雨萌还是感觉到喜出望外。

就在兴奋还没有来得及消化的时候，安琪的声音又在朱雨萌的身后响起了。

"雨萌，老板让你去一趟办公室。"这个甜美的声音在此刻突然安静下来的办公室里，显得格外的清晰明亮。

像是暴风雨来临之前的预兆，朱雨萌头也不想回，就答了一句："安琪啊，我今天中午很忙，真的没有办法上去啦！"

"那可是老板的命令哦！"安琪又一次发话。

"安琪你就回老板，说我今天中午有很多事情要忙啊……"朱雨萌转过身，想要好好恳求一下安琪，让老板放过自己。

可等她转过身，看到眼前的一幕，瞬间明白了办公室突然安静的原因。

那就是，安琪的身后正站着一脸严肃的秦明朗……

大老板竟然亲自来到办公室，而自己竟然当面拒绝了他！

果然，有一种安静叫"老板来了"……

天啊！自己这一次肯定是死定了！

"朱雨萌！"秦明朗拧着眉头，一脸没好气的样子。

"到！"朱雨萌回答得十分响亮。

"跟我来办公室一下……"说着，秦明朗就转身大步向前走。

朱雨萌跟在他身后，很小声地回了一句："是。"

06

到了秦明朗的办公室，朱雨萌觉得这个宽敞的办公室似乎被一坨黑乎乎的云压住了，无比的压抑和恐怖。

她感觉接下来迎接自己的，一定会比暴风雨或者台风恐怖百倍。

抱着必死的心情，朱雨萌安静地站在一旁，等待着命运的惩罚。

"朱雨萌，你是不是很讨厌上来给我表演策划案啊……"秦明朗开始发问。

"没，没，没有啊……"朱雨萌赶忙摇头。

"那你为什么那么害怕到我的办公室来，难不成我是老虎会吃了你吗？"

朱雨萌看了秦明朗一眼，心里对这句话表示了一下赞同。在她的心里，自己就是一只可怜无助的小猪，而老板就是凶狠暴躁的大老虎。

"不，不是……"可她自然不敢这么回答，即便是借十个胆子，她也不敢这么回答。

"那你刚刚是什么意思？"

"我，我，我……"朱雨萌突然有种百口莫辩的感觉。

"是不想跟我待在一起呢，还是不想表演策划案？"

朱雨萌心里的答案是，都不想，可嘴巴上说出来的却是："没有，没有，都没有不想。"

"那好，既然你这样说，那以后，每天中午你都自觉来我的办公室，给我把当天的重点策划表演一下，如果没有策划案，就帮我读读合同。"秦明朗无比自然地提出了这么一个无理的要求。

一想到以后的每个中午都要跟大老板在一起度过，朱雨萌的心里就有说不出的苦。她的眉毛拧在一起，语气有些哀怨："啊？每天中午都要来吗？"

"嗯，每天中午都要来。"秦明朗用肯定的语气说道。

朱雨萌垂下头，感觉这比任何的酷刑都要折磨人。

"朱雨萌，你邀请我假扮男朋友跟你一起吃自助餐的时候，可不像现在这副模样哦！"秦明朗又开始旧事重提。

老板啊老板，你一定是天蝎座的吧……

朱雨萌的心里滑过了天蝎座的星座特征，似乎每一条都可以跟老板的性格重合。

"呵呵，没想到大老板，你还记得啊……"朱雨萌对于那段让自己恨不得钻进地缝里的回忆表示出异常的无奈。

秦明朗笑笑："肯定记得，我以前可没有遇到过，比你还要主动，一上来就要我做男朋友的女生。"

秦明朗的话让朱雨萌的脸红成了一个成熟的西红柿……

看着朱雨萌的这副模样，秦明朗的脸上露出了狡黠的笑容，此刻的他不再像一只威猛的老虎，而是一只狡猾的狐狸。

"既然中午来表演的事情你答应了，那你对我有什么要求吗？"

朱雨萌嘻嘻一笑，然后问道："中午算加班吗？加班的话，有加班费吗？"

反正都已经是这样的情况了，如果能有点加班费，说不定还能抚慰一下自己幼小受伤的心灵。

"算加班啊，至于加班费嘛……"秦明朗故意拖长音节。

朱雨萌满怀期待地看着他，希望他说出一个让自己可以尖叫的数字。

"加班费就用午餐抵好了，以后你的午餐就由我包了！"

秦明朗给了朱雨萌这么一个无法反驳又让她崩溃的答案……

这下好了，非但要中午加班，还要每天中午跟大老板一起吃饭……

还真是雪上加霜啊！

第四章

伴君如伴虎，老板就是大老虎！

不能抱怨，抱怨下刪入会被炒，你差得了便宜实卖，其实你都是冷暖自知……

01

"有问题，绝对有问题！"

安安静静的咖啡馆，尹小可不顾形象地开始大吼大叫起来。

朱雨萌见到这妮子不顾形象的样子，立马捂住了她的嘴巴："你别这么大声，整个咖啡馆的人都在看我们呢！"

好不容易有了一个秦明朗因为有事，所以不需要她去楼上办公室的日子，朱雨萌便把尹小可叫到了公司附近的咖啡厅，一起吃饭，喝咖啡。

没办法，自从每天都要去老板办公室之后，大家都不愿意跟她一起吃饭了。

"我能不大声吗？我跟你说啊，秦明朗这么做一定有所企图！"听到了最近朱雨萌的遭遇，尹小可开始分析道。

"他对我能有什么企图？"朱雨萌看了尹小可一眼，她实在想不出高高在上的大老板能对自己有什么企图。

"虽然你有时候挺像一只猪，但不代表你没有什么东西让别人图吧！嗯……嗯……比如，比如……"尹小可说话开始变得吞吞吐吐起来。

朱雨萌做出发怒的表情白了尹小可一眼。

"好好好，虽然你不是倾国倾城，但你也算是甜美可爱啊！你还记得吧，大一看到你的时候，我就说你像那个台湾明星林依晨啊！是吧？都是可爱类型的，还有啊，你性格好吧？容易相处还特别的善良，光是凭这些你都可以让那个秦明朗有利可图啊！"

"就长相可爱和善良就能让他有所可图，那我们公司一抓就是一大把，怎么可能落在我的头上啊！"朱雨萌表示有些无奈地摇了摇头。

"这个你就不知道了吧！"尹小可双手插在胸前，露出一副仔细分析的模样，"爱情小说里都是这样写的，你知道吗？小说里这种冷酷耍帅的总裁啊大老板啊，都是喜欢像你这样的，性格好，像是任人宰割的小猪一样的女生。"

"那是小说，现实才不是这样的，拜托，你那是小说看多了留下的后遗症！"

只有对阅言情小说无数的尹小可而言，这荒诞又悲惨的一切才会美化成王子和灰姑娘的爱情故事，可对于脚踏实地的朱雨萌来说，却是走进社会所面临的一道严峻的考验。

通过这道考验她明白了，首先，你不能以貌取人，不能看到年轻人就觉得别人不可能是老板，就拉着别人假扮你的男朋友；其次，你得跟你的上司保持一定的距离，不能让他黏住你的生活，这样你会成为同事之间谈论的焦点；最后，千万不要选修什么戏剧系，这样只会让你死得更惨。

"这不是什么后遗症，小说那都是根据现实所改编的，所以它都是有所依据的。"尹小可抿了一口咖啡觉得自己很有必要提高朱雨萌的情商，便接着说道，"那你说说，像你们大老板秦明朗那样典型的高富帅，到底应该喜欢什么类型的女生。"

朱雨萌思索了一阵子之后，这才回答道："首先那一定是顶级漂亮，如果不是范冰冰那个级别的，那起码也得是林志玲那个级别的，然后呢，一定得要门当户对，非富即贵，反正不能太差。说来说去呢，不管是什么样的，都不会是我这样的。"

"你这就是不自信！"尹小可没好气地反驳，"照你这么说，像我们这种没有大长腿还没有大眼睛的就没有人会喜欢？我告诉你，不能这样以貌取人！再说了，门当户对那是多么老旧的思想啊！朱雨萌你是活在民国时代吗！门当户对是最无聊的了，就是要大家生活的环境不一样，才会碰撞出火花啊！"

"什么火花啊！我可不觉得我跟大老板能碰撞出什么火花……"朱雨萌搅拌着咖啡，心不在焉地说道。

"怎么就不能有火花啊！他现在又是让你跟他一起吃中饭，又是让你表演什么策划案，如果不是对你有兴趣，他怎么不让别人来做这种事情呢？"

这个问题倒是把朱雨萌问住了。

她想了一会儿，只想到一个答案："那可能是看我比较老实，觉得我比较容易驯服吧，他如果叫别人，别人可能以别的什么理由拒绝呢？"

"怎么可能！怎么可能会拒绝啊！跟大老板一起共进午餐，这种事情谁会拒绝？只有你会觉得不乐意吧，要是别的女生早就兴奋得飘飘然了。你说你还真是……"尹小可露出一副恨铁不成钢的模样。

"我，我，我怎么啦？"朱雨萌不满地嘟了嘟嘴。

尹小可刚想骂她不长进，一个高大帅气的身影就走到了两人的面前。

看到那个身影，朱雨萌立马站起身，毕恭毕敬地打起了招呼："部长好。"

楚子昀笑笑，然后温柔地摸了摸朱雨萌的头："还有10分钟就上班了，注意不要迟到哦！"

朱雨萌脸颊泛红，开心地点了点头。

楚子昀冲一旁的尹小可笑了笑之后就转身离开了。看着楚子昀离开的背影，朱雨萌整个人还沉浸在刚刚被摸头的甜蜜之中。

"喂，喂，喂，都已经走远了，你是要目送到什么时候啊！"尹小可拉了拉朱雨萌的衣服，语气冷冷的。

朱雨萌坐下身一边收拾包包一边说道："好啦，你赶紧回宿舍吧，晚上找你一起吃饭啊，我这就要上班去了，不然该迟到了。"

"你急什么啊，不是说了还有10分钟吗？刚刚那个是你的部长啊？"尹小可一副打探八卦的表情。

朱雨萌敷衍地点了点头。

"看你刚刚的表现，你是对人家有意思吧？那你——"

还没等尹小可把话说完，朱雨萌就猛地捂住了她的嘴巴："喂，你别乱说啊，我，我可没有，你，你不要在这里胡言乱语。"

尹小可推开朱雨萌的手，继续逼问："是吧？是吧？还不好意思承认，我就知道我肯定猜对了！你就是对你的直属上司有意思！我就说你怎么对那个大老板一点感觉都没有，原来心里有喜欢的人了！"

朱雨萌不想理会尹小可，让她自说自话，继续收拾自己的包包。

"朱雨萌。"就在这时，头顶上方出现了那个自己一点也不想听到的声音。

朱雨萌慢慢地抬起头，这个世界就是这么小，公司附近就更小了，现在秦明朗正带着一副冰冷的表情站在她的眼前。

"哇，好帅啊！"身旁的尹小可竟然还好死不死地发表了这么一句感叹。

朱雨萌白了尹小可一眼，立马打起了招呼："老板好！"

"快迟到了，跟我一起回公司。"说完，秦明朗就大步向前走去。

"哇，我的天啊！这个大老板也太帅了吧！我都被他迷晕了！"尹小可已经完全启动了花痴的最高模式。

朱雨萌鄙夷地看了她一眼，留下一句："别花痴了，赶紧回宿舍。"然后就立马背着包包追赶起秦明朗的脚步。

02

跟着秦明朗的脚步一起回公司的朱雨萌怎么也没有想到，竟然会跟早走了好几分钟的楚子昀坐在了同一趟电梯里。

"雨萌，下午你把那个合同弄一下给我，待会儿给我泡一杯少糖的咖啡，嗯，说真的，你泡的咖啡很好喝哦！"楚子昀跟秦明朗打了个招呼后，就冲朱雨萌说道。

朱雨萌听见自己被楚子昀表扬，兴奋得脸颊微微有些泛红。

她绞着手指，一副娇羞的模样："是吗？我还怕自己泡的咖啡不够好喝呢！"

"怎么会，很好喝哦！对了，公司附近有一家拉面店很好吃，你下次可以去尝尝那里哦！"

听见楚子昀的推荐，朱雨萌连连点头："是吗？那要不要下次跟大家一起去呀！"

"好呀，找个时间叫上部门的人一起去吃！"

"真的吗！好呀好呀！"想着能够跟大家一起活动，说不定就能解释清楚大家对自己的误会，朱雨萌顿时觉得心情好了很多。

"那你待会儿要记得把合同拿给我哦，哦，对了，还有那个策划案，你帮我拿去复印，给大家每人发一份，然后让他们一起去会议室开会。"

朱雨萌在心里默默记住这些事情之后，轻轻地点了点头。

可还没等她答应，一旁的秦明朗冷冷地发话了："朱雨萌，待会儿跟我来办公室，有事要交代给你。"

听见秦明朗的话，朱雨萌有点无措地看着他："嗯？"

"今天中午不是没找你吗？所以待会儿过来一趟。"秦明朗眼睛盯着前方，一副不容拒绝的样子。

听到这话，朱雨萌为难地看了看身旁的楚子昀。

这可怎么办？自己难道得有分身术不成……

"老板，朱雨萌是我的助理，我们部门下午还有事情，所以让她去你那里的话，我们这边的工作会耽误。"虽然秦明朗是老板，但是楚子昀还是提出了抗议。

朱雨萌也连连点头地表示出赞同的意思。

"你那边有事的话就让琳达去好了，朱雨萌是一定要去我那里的。"秦明朗丝毫没有可以讨价还价的意思。

"可是琳达对于我们部门不是很熟悉，更何况她是您的助理，我去吩咐她怕是不太好。"楚子昀开始解释。

面对这样的解释，秦明朗显然不接受，他冷冷回了一句："这样的话，那从现在开始，琳达就是你的助理了，而朱雨萌则正式变成我的助理。"

听到这样的决定，朱雨萌震惊地瞪大眼睛，一副不敢相信的样子。

就坐了个电梯，自己就变成了秦明朗的秘书？

自己以后就只能待在这只大老虎的身边了吗？

天啊……

这也太悲惨了吧！

朱雨萌在心里发出了一声又一声的哀号。

一旁的楚子昀对于这样的命令也显得有些无法接受："老板，你这样做不符合公司的规矩，再说了，朱雨萌只是一个新人，她怎么可能做好老板秘书这样的工作。"

"她能不能做好，我说了算。"当秦明朗说完这句话的时候，电梯门打开了，他头也没回地就走出了电梯。

朱雨萌不知道自己该跟着他一起上楼还是跟着楚子昀。思索了一两秒之后，她还是决定先跟着楚子昀。

指不定刚刚大老板只是一时冲动，或者开个玩笑罢了……

自己什么都不会，对于老板秘书这种工作就像楚子昀说的，怎么可能做得好呢！

回到了自己的办公桌，朱雨萌还是按照楚子昀的吩咐帮他去泡了咖啡还复印了合同。可是当她拿着这些东西回到办公室的时候，却发现琳达已经抱着纸盒坐在了自己的座位上。

"琳，琳达……"朱雨萌看着琳达，一时之间不知道该说些什么。

"老板让我跟你对调职位，你现在可以搬着你的东西去上面了。"琳达一边收拾东西，一边用极其厌恶的口气冲朱雨萌说道。

朱雨萌站在原地有些手足无措，楚子昀也不知道去了哪里，自己也不知道到底要怎么解决这样一件事情。

包括李美美在内的公司同事，都用异样的眼神看着她。

最后还是陈辰打破了沉默，用极其讽刺又挖苦的语气说道："朱雨萌，不错嘛，才来公司一个多星期，就这么快地成为老板的秘书了！看样子，你之前那都是在扮猪吃老虎啊！"

"是呀，现在的90后可真是可怕，真是知人知面不知心啊……"李美美的语气也不是那么友善。

朱雨萌站在原地感觉自己整个人都被无奈和不安包裹了，成为老板的秘书，这是她也不想的。

她的希望很小很小，就只是留在楚子昀的身边，当一个小小的助理，顺利拿到实习证明，她不是什么猪也没有想要吃什么老虎……

她……

朱雨萌觉得自己百口莫辩。

"快收拾吧，你的东西没有收走，我怎么把我的东西放进来？"琳达微微仰起头露出一副不耐烦的样子。

"琳，琳达，要不我们去跟老板说说吧，让他不要这样，我也不想调换的，真的，我不想的……"

"什么想不想啊，早就知道你不是什么省油的灯，从你第一天来公司拉着老板说话的时候，我就已经知道了，现在看来，我果然猜得没错。朱雨萌，你别以为老板的秘书好当，以后的日子，你就自求多福吧！"说着，琳达将朱雨萌放在桌子上的娃娃丢在了地上，"你再不收拾，就不要怪我把你的东西都丢地上了啊……"

朱雨萌不是那种爱哭的人，可此刻她的眼眶里堆满了泪水，她低着头，不敢让任何人看到自己委屈的样子。

因为在这样的时刻，露出一丝委屈的表情，或者流下一滴泪，都会被大家看成是做作看成是假意。

所以现在，不管她有多么的难受，心里有多么的委屈，她都不可以哭。

越是被说，越是受委屈就越要挺直腰杆，怎么说，变成老板的秘书，都算是升职了，都是一件值得开心的事情……

朱雨萌一边收拾着自己的东西，一边不断地安慰自己。

等收拾完所有的东西走出办公室的时候，前几天还在一起谈笑风生的同事，却没有任何一个对她投来友善的目光。

走出了办公室的大门，楚子昀正拿着一叠资料走了过来。看着朱雨萌收拾好了东西，他的脸上露出了一抹淡淡的哀伤。

"都收拾好了啊？"楚子昀说道。

朱雨萌头低低地点点头："嗯。"

随后，她苦笑了一下，继续说道："你的咖啡已经泡好放在桌上，合同也都已经打印好了。"

"嗯，谢谢，那再见。"说着，楚子昀就走进了办公室。

即便是最温柔的楚子昀也没有对自己说出一句加油或者鼓励……

想到这里，朱雨萌轻轻地叹了一口气。

03

　　坐到了琳达的位置，苏梅梅看待朱雨萌的眼光像是看待一个什么不可思议的事物一样，她似乎很想要好好跟朱雨萌谈谈，可碍于安琪在旁边，所以只能保持用震惊的目光一直盯着她。

　　把办公桌还有资料都整理好了之后，朱雨萌这才去秦明朗的办公室报道。可让她怎么也没有想到的是，秦明朗在电梯里说的，下午有事找她，第一件找她做的事情竟然就是泡咖啡。

　　等给秦明朗泡好了咖啡之后，朱雨萌有些胆战心惊地问道："老板，除了泡咖啡，还有什么别的事情吗？"

　　秦明朗挥了挥手："没事了，你可以找安琪熟悉一下，你所要做的事情。"

　　听见自己除了泡咖啡以外就没别的事情了，朱雨萌表示有些莫名其妙。

　　在电梯里明明说找自己有事，还以有事把自己跟琳达的职位对调了一下，可弄出了这么大个动静，最后的结果竟然只是让自己泡了个咖啡……

　　难不成琳达泡的咖啡很难喝？

　　大老板的心思果然难猜，不是她这种小职员所能够想明白的……

　　带着疑惑朱雨萌慢慢地朝着门边走去。

等朱雨萌从办公室里退出来之后，秦明朗就带着探究和傲慢的表情抿了一口咖啡，最后脸上露出了一抹确实还不错的表情。

坐在琳达的位置上，对面前所有的一切都感觉到异常陌生的朱雨萌，有种无从下手的感觉，桌上密密麻麻放了很多资料合同，可每一样对她而言都显得那么的陌生。

"雨萌啊，琳达主要是负责老板的一些合同的拟定还有公司的一些报账，她刚刚走的时候，似乎还没来得及把各种合同和账单归类，你先看看，有什么不懂的，直接问我就好了。"坐在一旁的安琪看到朱雨萌如此迷茫的样子，充满善意地冲她说道。

朱雨萌感激地点了点头："谢谢，谢谢。"

有了安琪的一番话，她这才放了心，好歹有个人可以问一问了。

用了两个多小时，朱雨萌才把桌上的资料分类整理好，虽然对于很多东西都还不是很熟悉，但朱雨萌还是很细致细心地在脑海里记下自己所要做的大小事宜。

既然没有办法反抗对调的事实，那么还不如好好做好现在的工作。

这是目前朱雨萌脑子里的唯一念头。

"琳达，琳达……"下班前的10分钟，一个响亮的声音在办公室响起。

不过一分钟，一个穿着紧身裙烫着大卷头的妖娆身影就出现在了办公室中，这个妖娆身影的主人就是人事部的部长李雪。

在公司她是出了名的泼辣和大嗓门，没有人敢惹她，李美美甚至在私底下称她为李熙凤。

"琳达呢？"没有看到琳达的身影，李雪扬了扬头，有些疑惑地问道。

安琪瞟了她一眼，声音轻柔地回答道："琳达跟雨萌的职位对调了，你有什么事找雨萌就好了。"

"嗯，嗯，现在琳达的事情都转交到了我手里，请问有什么事情吗？"朱雨萌赶忙接话。

李雪用鄙夷和不相信的眼神上下打量了朱雨萌一阵，随后用有些不耐烦的语气说道："哦，那麻烦你把上次我们部门报账的单子给我一下，如果已经签好字了的话，我就要拿去财务那里报账了。"

朱雨萌点头回应之后，便立马找了起来。可由于自己刚才在分类的时候，并没有按照部门分好，所以找了好久，都没有找到李雪所说的单子。

"喂，我说，难道找一张单子有那么难吗？是要让人等多久啊？"等了一会儿的李雪开始不耐烦起来。

安琪站起身开始解围："雨萌中午才上来，对很多资料并没有那么的熟悉，你多体谅一下。"

"我体谅她？工作中能够容得下体谅吗？自己办不好事情，还要别人体谅，什么时候有了这种说法。"李雪的语气听起来咄咄逼人。

慌乱找着单据的朱雨萌额头冒出了细密的汗珠，她努力让自己平静下来，这样才能专心致志地找单据。

"雨萌，你不要紧张，仔细想想刚刚收拾的时候是放在哪里的。"安琪开始安抚其朱雨萌的情绪。

朱雨萌抬起头给了安琪一个感激的表情。

李雪没有再说什么，只是不停用高跟鞋敲击地面，哒哒哒的声音显露出她心里的不爽和烦闷。

在一摞一摞的资料中，大汗淋漓的朱雨萌在下班的前一分钟终于找到了李雪要的那份单据。

"终于找到了，给你。"朱雨萌带着如释重负的表情将单子递给了李雪。

李雪没好气地接过单子，留下一句："哼，以后上来拿个单子都可以顺便喝个咖啡了。"说完，就一扭一扭地走了。

听到这句话，朱雨萌有些沮丧地站在原地，安琪拍了拍她的肩膀："别灰心，毕竟是第一天。"

"嗯，谢谢。"朱雨萌点了点头。

安琪冲朱雨萌笑笑，就走回自己的座位，拿起背包冲朱雨萌还有一旁假装忙碌的苏梅梅挥了挥手："大家再见，明天见哦！"

"明天见，走好。"朱雨萌挥手。

"安琪姐，明天见，走好哦！"苏梅梅也挥了挥手。

等安琪走下楼，苏梅梅立马站起身，收拾了一下背包冲朱雨萌说道："一起回宿舍吗？"

看着被弄乱的资料还有单子，朱雨萌摇了摇头："你先走吧，我今天可能需要加一下班。"

"第一天接手琳达的工作，就要加班，你也太惨了吧？"苏梅梅露出了同情的表情。

朱雨萌没有接话，继续看着凌乱的桌面，心里拧成了一团麻花。

"对了，你怎么会跟琳达对换啊？是琳达犯了什么错，还是你做对了什么事情啊？怎么这么快就能升职啊？"苏梅梅开始八卦起来。

朱雨萌指了指桌上还有散落在地上的资料："你觉得我现在这样的状况，能够算得上升职吗？估计老板也就是一时心血来潮，听说我泡的咖啡还挺好喝的，就硬要把我跟琳达对调，估计等我实习期结束，琳达还是会坐回来的。"

听到朱雨萌的解释，苏梅梅若有所思地点了点头："也对哦，之前倒是听八卦说，他对琳达不是很满意，但顾及是老员工，所以还是待她很好。刚开始见你上来我还挺羡慕，现在觉得，你就是跳进了一个火坑。"

"是呀，就是一个火坑。"朱雨萌苦笑了一下。

"那你慢慢忙吧，我走了啊，真可怜哦……"苏梅梅说完就转身离开了。

看着苏梅梅的背影，朱雨萌趴在桌上重重地叹了一口气。

是呀，自己是多可怜啊，看似被大家羡慕，其实是跳进了火坑。

想找个人好好抱怨一下都不行，因为别人都会觉得，你是得了便宜还卖乖，其实呢，都是冷暖自知……

04

一直忙到晚上9点多，朱雨萌才用各类纸盒将资料和账单分类好，并用各种颜色的小便签进行了分类的标注。这样的话，下次谁要什么资料，就不会手忙脚乱地找了。

看着自己的劳动成果，朱雨萌伸了一个大大的懒腰。从下班到现在，她忙得都忘记了吃饭和休息，现在的她是真的又饿又累。

自己这么辛苦，不如吃顿好的好好奖励一下自己吧！

朱雨萌一边在心里想着，一边蹲下去捡掉到桌下的笔。这个想法刚刚萌生出来，她的脸上就忍不住露出了笑脸。

"忙完了的话，就一起吃饭吧……"头顶传来一个声音。

朱雨萌抬起头，见到是一脸冷冷的大老板后，一个紧张想要立马站起来，却忘了此刻自己在桌子下面，所以——

"砰——"

她的脑袋重重地撞在了桌子上。

朱雨萌揉着发疼的头无比尴尬地停顿了一两秒之后，这才从桌子底下钻了出来。

"疼吗？"冷冰冰的大老板脸上竟然流露出关心的神色。

朱雨萌轻轻地摇摇头："还好，还好。"

看着朱雨萌发红了的脸颊，秦明朗慢慢地伸出手，放在她的头顶，然后轻轻地帮她揉了揉。

这个动作让朱雨萌感觉自己似乎变成了一尊雕像，在原地震惊得无法动弹。

原来冷漠酷帅的大老板还有这么温柔的一面……

朱雨萌感觉自己的心跳好像变得有些不听话，脸颊也变得很烫很烫。

"朱雨萌你可真够笨的啊……"秦明朗一边帮朱雨萌揉头一边用有些温柔的声音说道。

怎么回事，眼前的大老板怎么会有这么温柔让人心动的样子……

这也太不真实了吧……

朱雨萌感觉此刻的自己有些凌乱，她竟然在大老板身上看到了只有在楚子昀身上才会出现的温暖光芒……

不行不行，一定是幻觉，一定是自己的眼睛出现了问题！

朱雨萌用指甲狠狠掐了一下自己的掌心，逼迫自己清醒了一点之后，便稍微退了一下，她揉了揉头："谢谢老板关心，我的头真的没事。"她的声音因为紧张变得有些干涩。

她必须立马停止这样的画面，不然她可能，可能……

秦明朗收回手，挑了挑眉："没事就好，一起吃饭去吧，我肚子饿了。"说着他转身朝前走去。

虽然朱雨萌此刻很饿很饿，但是想着要跟大老板一起吃饭，她感觉自己的食欲似乎消失了一大半。

"老，老板啊，您还是自己去吃吧，我，我有事，我要回宿舍了……"朱雨萌跟在秦明朗的身后，有些心虚地提议道。

"不行，要一起吃，我不喜欢一个人吃饭。"秦明朗果断干脆地拒绝了朱雨萌的提议。

知道怎么说都没有用的朱雨萌，只能无奈地接受又一次要跟大老板一起吃饭的现实。

唉，在这个公司上班可真不容易，既要被同事议论，还要时刻关注老板的情绪，得给他朗读合同，还得陪吃饭……

朱雨萌感觉自己肚子里的苦水可以灌满整条黄浦江了。

朱雨萌本来以为老板只是随便吃点什么，却没想到她最后在要挟下上了老板的车，半个小时之后，竟然来到了两人第一次见面的自助餐厅。

看着这个心心念念的餐厅又一次出现在眼前时，朱雨萌的食欲又慢慢地复活了。可一想到不菲的价格，她又有些望而却步。

"快来，这顿饭就当给你的加班费，你不来就过期作废了。"站在自助餐厅门口的秦明朗像是看穿了朱雨萌的心思，微微一笑，半诱惑半威胁道。

听到这是自己的加班费，并且现在不吃就过期作废的话，朱雨萌赶紧迈开了步子。

是呀，不吃白不吃，自己那么辛苦地加班，就应该好好吃一顿犒劳一下自己。

在踏进餐厅的时候，看着那么多诱人的食物，朱雨萌就决定一定要吃个够本再回去。可等秦明朗在自己的对面坐下，她整个人就蔫了。

意面是一根根挑到嘴巴里的，最爱的基围虾也不敢用席卷残云的方式快速解决，朱雨萌只想按下一个按钮，在自己大吃之前让秦明朗消失。

"这很不像你的风格啊？"看着朱雨萌斯斯文文吃东西的样子，秦明朗揶揄地说道。

"啊？"朱雨萌从食物里抬起头。

"上一次你在这里吃东西的样子，我可是印象深刻啊，怎么今天是胃口不好吗？"秦明朗的嘴角扬起一抹笑意。

朱雨萌的头顶滑下几滴汗珠，她一时不知道怎么接话，只得继续挑着意面。

"好了，老老实实吃东西吧，反正你风卷残云的吃相我早就领教过了，现在下班了，我也不算是你的老板了，自自在在吃吧。"秦明朗又一次看似体贴实则教唆地对朱雨萌说道。

听着这话，朱雨萌盯着秦明朗："你说的哦？"

"嗯，我说的。"秦明朗点点头。

既然老板都这样说了，朱雨萌也决定不再扭捏下去，反正此刻的自己已经快要饿爆炸了。那就当老板不存在，好好吃一顿吧……

在朱雨萌对食物发动强烈攻势的时候，秦明朗全程一直带着笑意，仿佛他交钱进来不是来吃东西的，而是来看朱雨萌吃东西的似的。

近一个小时以后，朱雨萌爆发了最高的战斗力，解决了将近20盘的食物，心满意足的她靠在椅子上，露出了幸福的表情。

"吃饱了吗？"全程只处于观战模式的秦明朗问道。

朱雨萌点了点头。

"吃饱了就走吧，送你回宿舍。"秦明朗站起了身，在路过酒店情侣合影的宣传栏时，他偷偷撕下了那天跟朱雨萌一起的合照。

这边正在懊恼的朱雨萌压根儿没有发现秦明朗的动作，想着老板说要开车送自己回宿舍，她就惊得一身冷汗，她拿起包包，一路小跑地跟在秦明朗的身后："老板，这个点还是有公交车的，我可以自己回去。"

秦明朗转过身，差点让没来得及刹车的朱雨萌一头撞上去。

"朱雨萌你觉得我是那种很严苛很没有人性的老板吗？"

听到这个问题，朱雨萌下意识地点了点头，在反应过来必须要讲假话之后，她又用力地摇了摇头。

"那就别在多话，上车吧。"秦明朗再一次迈开了步子。

看着秦明朗的身影，朱雨萌总结出来，在大老板的面前，最好少说话，因为说多错多……

还有最重要的是，一定要乖乖听话，不能拒绝和反抗他的话，因为你拒绝和反抗也没有用，他都当看不见……

05

坐着大老板的豪车在夜色中疾驰，朱雨萌脑子里浮现的都是尹小可上午跟自己说的那些言情小说情节。

可等那些情节浮现完毕，朱雨萌又再一次清醒地认识到，自己是永远也不可能成为言情小说中的女主角的……

"让你做琳达的工作，你都了解了吗？"秦明朗开始发话。

"嗯，差不多了解了，今天安琪姐跟我说了一下，以后有什么不明白的都可以问她。"朱雨萌回答道。

"其实琳达除了要处理公司的一些事情之外，还要当我生活上的助理。"

"生活上的助理？"朱雨萌的音量有些提高，她的直觉告诉她，眼前又是一个巨大的火坑。

"对，除了要处理公司的事情之外，她还要负责帮我买早餐，或者泡咖啡什么的，这些你都要记住啊，因为明天就是你来做了。"秦明朗全程都带着异常狡猾的表情。

果真又是一个火坑……

朱雨萌在心里为自己的悲惨遭遇沉痛地哀悼了一下。

"嗯，好的，我都记住了。"哀悼完毕，朱雨萌立马回到了现实中。

"快到宿舍了，你住哪一栋，可以直接开进去吗？"秦明朗放慢了车速问道。

看到宿舍楼已经出现在自己的视野中，朱雨萌赶忙阻止了秦明朗："到这里就好了，里面都是女生宿舍，车子不方便开进去。"

其实呢，朱雨萌只不过不想引起女生们的围观，再遭受一次非议，每天在公司听到的莫名诽谤猜测已经够多了。

"那我就停在这里吧。"秦明朗踩了踩刹车。

朱雨萌冲秦明朗点点头，礼貌地说道："谢谢老板，老板晚安，再见。"说完就下了车，飞快地朝着寝室走去。

"朱雨萌。"可还没等她走两步，身后就传来了秦明朗的声音。

回过头，只见秦明朗也下了车，他冲朱雨萌挥了挥手，然后说了句："再见，加油。"

听到这句，朱雨萌在原地愣了一会儿，这才反应过来，也挥了挥手："再见。"

似乎这个大老板在某些时候，并没有自己看到的那么冷酷无情呢……

朱雨萌一边走向寝室，一边在心里冒出了这么一个念头。

而这边的秦明朗嘴角露出了无比甜蜜的笑容，等到朱雨萌的身影完全消失在自己的视野里，他这才上了车。

他并没有马上开车走，而是拨通了安琪的电话。

"喂，安琪，你有朱雨萌的电话号码吗？发到我手机上吧。"依旧是那熟悉的命令口吻。

电话那头的安琪沉默了两秒后，这才恭敬地回了一句："好的，老板，立马发到您的手机上。"

挂掉电话后秦明朗的手机里立马收到了安琪发来的号码，嘴角的笑意更加的明显，他从口袋里拿出了跟朱雨萌的合照，并将照片卡在挡光板的镜子上。发动车子疾驰在黑夜中，他的脑子里都是朱雨萌吃东西时可爱的样子。

　　似乎大老虎对于笨猪的兴趣越来越浓烈了……

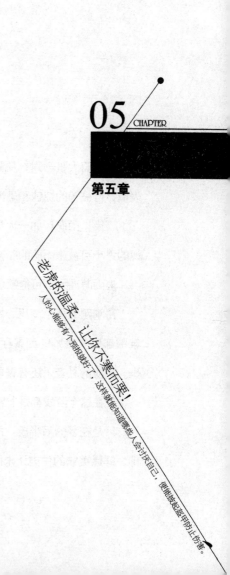

05 *CHAPTER*

第五章

老虎的温柔，让你不养而累！

人的心能够有个预设就好了，这样就能知道别人会讨厌自己，便能披起盔甲防止伤害。

01

"啊——"

朱雨萌大吼一声，从梦中惊醒，整个人额头冒着冷汗，脸色发白，表情显得极为的惊悚和恐惧。

"猪！雨萌！你一大早在鬼吼鬼叫什么啊！"昨天又熬夜看言情小说的尹小可被朱雨萌的叫喊声吵醒，有些不耐烦地吼道。

朱雨萌冲尹小可抱歉地挥了挥手，然后就坐在床上喘起了气。

在刚刚的那个梦里，她穿着黑色小礼服画着美美的淡妆，在环境和氛围都极其美妙的西餐厅跟穿着西装帅气得冒着金光的楚子昀相对而坐。淡淡的轻音乐还有香草味道的香氛恰好地围绕在两人的周围。

梦在这个阶段都是非常的美好还有正常的……

只是在梦的后半段，两人一边说说笑笑一边开始切起了盘子上的牛排，鲜嫩美味的牛肉让朱雨萌忍不住低头品尝了一口，可是这个时候，让她万万没有想到的是，此刻坐在她对面的人，竟然变成了秦明朗！

更可怕的是，秦明朗的脸上还出现了老虎的影子，看起来异常的凶恶和恐怖，她低头看红酒杯，这才发现，自己不知道什么时候，竟然变成了一只粉红色的小猪……

梦到这里，她由于太害怕所以大叫了一声醒了过来。

坐在床上细想刚刚那个梦境的朱雨萌，还没有完全从噩梦中清醒，而在这时，她床边的手机发出了"滴"的提示音。

打开手机，只见上面是一个陌生的号码，信息的内容是："早餐，罗漫咖啡的拿铁还有华夫饼，备注，除了香草酱的华夫饼其他的都可以。"最后的署名是——"秦明朗"。

看着这条短信，朱雨萌重重地倒在了床上，她总算知道为什么会做那个噩梦了——自己就是秦明朗那只大老虎的小杂役兼职跑腿的。

由于苏梅梅昨晚在同学家留宿，所以洗漱完毕之后，朱雨萌踏上了一个人上班的路途。由于看了天气预报说今天会有雨，所以朱雨萌又返回宿舍拿了一把伞。

可即便折腾了这么一个来回，到了公司对面的罗漫咖啡的时候，离上班还有半个小时，时间还是很充裕，所以她给自己买了一份培根面包和热牛奶。

"嗨，我们还真是有缘啊，又见面了！"一抹红色身影飘到了朱雨萌的面前。

朱雨萌眨了眨眼睛，只见吴佑轩穿着一身红色西装，手里拿着一杯饮料走到了自己的面前。

"呵呵，真是好巧啊！"嘴里塞满食物的朱雨萌含糊地回应了一下。

"你可真够积极啊，现在离上班还有20多分钟呢！对了，最近工作还顺利吗？"吴佑轩一面说一面在朱雨萌对面的位置坐了下来。

"嗯，蛮好的。"朱雨萌点了点头，其实她心里根本不是很想理这个补刀狂魔。

"那你要是不急的话，我就坐在你旁边啦，我们还可以好好聊聊天，工作上有什么不懂的，可以尽管请教我啊……"吴佑轩显得特别的热情。

朱雨萌拿起牛奶咕咚咕咚喝了一大口，然后给了吴佑轩一个看起来有些勉强的微笑。

"如果你没有什么问题问我的话呢，我倒是有很多问题想要问你啊！"吴佑轩挪了挪凳子，稍微地靠近了朱雨萌一些。

朱雨萌的心中升起了一丝不祥的预感，她警惕地看着他："什，什么问题。"

他的眼神显得特别的诡秘，语气也有些许探究的意味："你跟秦明朗到底有什么秘密啊！你们俩是怎么认识的呀？"

"我，我，我，我们，我们没有什么秘密啊！"朱雨萌听到这个问题，心里有些紧张，声音也显得吞吞吐吐起来，她看了看手表然后转移了话题，"啊，快上班了，我先去买个早餐。"

说完，她就立马站起身走向了吧台。

"服务生，一份拿铁和一个原味的华夫饼。"朱雨萌的心情还没有平复，根本没有心思考虑给秦明朗选哪一种口味的华夫饼，索性就要了原味的。

"小姐，现在店里有套餐活动哦！早餐要一份拿铁和原味华夫饼，再加一个德国热狗的套餐会优惠很多。"服务生热情地给朱雨萌介绍起了早餐的套餐。

听见有优惠，朱雨萌想也没想地就答应了："好，那就来这么一份套餐。"

"你给谁带早餐啊？同事还是……"阴魂不散的吴佑轩又慢慢靠近了朱雨萌。

"带给上司。"朱雨萌淡淡地回应道。

"哇，你是哪个部门的啊！上司这么大牌啊，还需要下属给买早餐的啊！"吴佑轩一副讪笑的模样。

朱雨萌嘟囔了一下，还是打消了告诉他，自己的上司是秦明朗这件事。

等服务生把早餐打包好之后，吴佑轩又黏着朱雨萌一起走到了公司。为了怕吴佑轩又提及刚刚那个难以回答的问题，朱雨萌一路上都没有说话。

坐上电梯到了公司后，朱雨萌径直朝着办公室走去，没想到吴佑轩还是一直跟着她。

朱雨萌斜眼看了一下身旁的吴佑轩，真不明白，这个家伙难道都不用回自己的办公室吗？

"喂，你的办公室怎么会在这里啊，这上面是老板的办公室啊！"看着朱雨萌走上了旋转楼梯，吴佑轩终于没忍住问了出来。本来进了公司，看着朱雨萌跟自己路线一致，他就觉得很奇怪了，他可是要找秦明朗去聊聊天的，却没想到这女生竟然跟自己一样的路线。

"我知道啊……"回答完，朱雨萌更加快了脚步。

"不是吧，你现在是秦明朗的下属吗？那你的早餐是买给他的吗？"吴佑轩想起刚刚的优惠套餐问道。

"嗯，是呀。"朱雨萌一边答应，一边忍不住腹诽：拜托，当然是老板啦！不然在公司哪个上司会这么大牌，需要下属处理完公司上的事情，还要兼职当他的私人助理啊……

"那你刚刚的那个热狗可千万……"还没等吴佑轩说完，就看到秦明朗跨着大步走了过来。

"早餐买好了吗？"秦明朗冲朱雨萌问道。

"嗯，买好了，给。"朱雨萌把早餐递给了秦明朗。

秦明朗接过早餐便领着吴佑轩一起走回了办公室。

为了怕待会儿秦明朗看到自己最讨厌的热狗出现在早餐里会大发脾气，吴佑轩忍不住轻声提醒："喂，兄弟，那女生给你买的早餐里有你最讨厌的东西哦！"

"什么？热狗吗？"秦明朗的语气相当的轻描淡写。

面对如此反应的吴佑轩一边走一边说道："你怎么这么淡定，你不是最讨厌热狗吗？就连看到都会觉得恶心，别提还装在一个袋子里，让其他的食物也感染到它的味道啦！"

"没事，待会儿给你吃就好了啊……"

"天啊！你真的变了，如果那份早餐是琳达或者安琪买的，你一定发狂了吧……你有问题……"吴佑轩开始在脑海里猜测起来。

秦明朗笑笑，拍了拍他的肩膀："有什么问题，我秦明朗有什么问题……"

"问题大了，你现在浑身上下都散发出一股味道……"吴佑轩的嘴角扬起揶揄的笑容。

"什么味道？"秦明朗吸了吸鼻子。

"老虎发出想要求偶的味道。"说着，吴佑轩做了一个老虎吼的动作。

秦明朗白了吴佑轩一眼，加快了脚步，在不被人察觉的时候，露出了一抹很淡很淡的微笑。

02

相比于一上午都因为有了爱心早餐而沉浸在幸福中的秦明朗而言，朱雨萌的一上午可是过得极其艰难。

因为她的位置跟琳达对调了，所以公司里开始流传起各种难听刺耳的闲言碎语。这些闲言碎语让朱雨萌在各部门中开展工作时都显得寸步难行。就连去复印文件，都被一众同事排挤，弄得本来几分钟就能搞定的事情，最后花了一个小时。

到了中午吃饭时间，被弄得筋疲力尽的朱雨萌一想到还要跟秦明朗一起吃中饭，还要帮他念合同和策划，她就一个头两个大。为了摆脱这一切，一到中午休息时间，没等到秦明朗的召唤，她就一个箭步杀向了食堂。

面对那些万箭穿心的话语，首先要保证自己吃饱了，这样才有力气去抵挡吧……

不得不说在抵抗压力方面，还是多亏了朱雨萌有天生的阿Q精神，不然估计她早就缴械投降了。

买了四菜一汤，看着可口美味的食物，朱雨萌的阴霾一扫而光，她小心翼翼地端着饭盘朝着座位走去。

可还没等她走到座位，一股外力就猛地撞向了她，整个人摔在了地上，饭盘里的菜洒了一地，热腾腾的汤也顺势泼在了她的手上。

突如其来的灾难让朱雨萌懵懵地坐在地上有点不知所措。

"哎呀，真是不好意思啊，最近眼神不太好，都没看见你。"琳达端着饭盘出现在了朱雨萌的眼前。

"你没事吧？麻烦自己起来一下呀，我要端饭盘，可没有手扶你。"琳达挑了挑眉毛，一副嚣张的样子。

朱雨萌低着头，不想多说什么，自己从地上站了起来。

"你抢了我的饭碗，我碰掉你的饭盘，应该不算过分吧？"琳达靠近朱雨萌用有些怨恨的语气说道。

"那不是我想的……"朱雨萌都不知道该要如何解释了。

"是呀，你是天真纯洁的小可爱，怎么可能知道要怎么解释呢？你都是无辜的，我们可都是坏人。哼！也不知道能在老板面前红多久，指不定过两天就彻底失宠，都不知道会被派去哪里……"琳达说完冷冷地上下打量了朱雨萌一阵，便一扭一扭地走开了。

朱雨萌狼狈地站在原地，她看见食堂有很多同事都在冷冷看着自己，还用不大不小刚刚好可以传进她耳朵里的声音，说些刺耳的语言。

已经完全没有吃饭的心情了……

朱雨萌从包里掏出纸巾擦了擦自己被汤溅到的手，然后一步步地走出了食堂。

肚子饿得瘪瘪的，却又不想吃东西，更不想回到公司，朱雨萌走到了公司外的广场。广场上有清凉的风，风里还夹杂着一丝淡淡的潮湿。她坐在广场的椅子上，不停地安慰着自己，没关系，这些伤人的话语，一定会过去的，一定都会好起来。

本来是想安慰自己，让自己重新拥有好心情的。可没想到，安慰着安慰着，朱雨萌的眼眶突然红了。没来由的委屈紧紧地包围着她，她感觉自己此刻无比的孤单无助。

她不过是想要得到一张实习证明，不过是想要好好在晴朗广告公司工作……

可为什么一切都这么难呢？

是自己的问题？还是这个世界根本就不是她想的那样……

随着眼泪的落下，天空也开始飘起了蒙蒙细雨，天气预报果然准确。

如果人的心也能够有个预报就好了，这样的话，就知道哪些人会讨厌自己，这样便能披起盔甲防止伤害了。

唉，最主要的是，自己又被说了，还打翻了午饭，简直就是雪上加霜。

朱雨萌这样想着，细雨轻轻地滴落在她的脸上，混着泪水一起流过脸颊。

一滴两滴三滴……

平常人在这样伤心的时刻如果碰到了下雨，肯定会更加伤心……

可朱雨萌却不一样，她感受着雨滴打在身上的触感，脑子里想的都是：浪费了一个中午去没有任何用处的忧伤，下午要是能用什么办法请个假，让自己好好去吃一顿就好了……

随着雨点继续落下，朱雨萌本来抑郁的心情开朗了一些，因为她想到了一个请假的理由，那就是将自己淋成落汤鸡。

大老板该不会那么恶魔地让自己穿着湿哒哒的衣服上班吧……

佩服自己想出了这么一个绝妙的方法，朱雨萌的脸上终于有了一丝淡淡的笑意。

本以为淋成落汤鸡就可以堂而皇之地请假回家了，却没想到没过两分钟，她的头顶就多了一把伞。

"淋雨发烧感冒公司可不会给报销药费哦！"秦明朗撑着一把很大的格子伞站在朱雨萌的旁边，语气有些冷淡。

看见秦明朗出现，朱雨萌赶紧站了起来："老板。"

看着朱雨萌脸上的雨水，秦明朗伸出手，用几乎梦幻的温柔，一点点地帮她擦拭。

面对这样温柔的动作，朱雨萌的眼睛瞪得跟硬币一样大小。她一再地确定，站在自己眼前的到底是不是大老板秦明朗。

在看了很久终于可以很明确地确定是秦明朗之后，她感觉自己快要紧张得晕过去了，为了防止自己真的晕过去，她做了一个重要的决定，那就是——开溜。

做了这个决定之后，朱雨萌深呼吸一口气，一溜烟地跑走了。

只留下在原地撑着伞有些不明所以的秦明朗。

03

朱雨萌逃离出广场之后，她就不停地在心里告诫着自己，刚刚发生的一切都是幻觉，都是幻觉……

就像早晨那个梦一样，似乎很真实，可其实都只是幻觉……

带着这样的认定，朱雨萌深呼吸一口气，带着跳动得依旧有些过于猛烈的心朝着自己的办公桌走去，却没料看到似乎在等待着自己的楚子昀。

"部，部长……"朱雨萌见到楚子昀有些意外，连招呼都打得有些害羞。

楚子昀挥了挥手里的白色饭盒，冲朱雨萌笑笑："好久没见到你了，所以上来看看你。刚刚在食堂看到你没有吃上饭，所以给你打包了一点。"

想到自己刚刚在食堂的窘境竟然被楚子昀看到，朱雨萌就觉得有些丢脸。她有些尴尬地接过楚子昀递过来的饭盒说道："谢谢，嘿嘿，我正好饿了。刚刚在食堂，饭一口都没有吃呢！"

"刚才琳达那样，你不会跟她生气，不会因为这样而觉得不开心吧？"楚子昀的表情似乎有些担忧。

"没有，怎么会，被人撞到是一件很正常的事情啊，像我这么马马虎虎，也经常不小心撞到别人的。"

"你能这样想就最好了，最近听见公司很多同事说你，你不要往心里去，他们大部分的人都是跟风，看别人说你什么，便也跟着说你什么。"楚子昀看着笑得没心没肺的朱雨萌继续关心地安慰道。

"嗯，其实听到那些话我也会觉得不开心，也会觉得委屈，可是啊，我这个人情绪就是来得快去得也快，放心吧，我没事，我可不是那么容易被打倒的！"说完，朱雨萌拍了拍自己的胸脯，表示自己都能够挺住。

看着朱雨萌一副豁达的样子，楚子昀笑了笑，他本来只是怕琳达的过分会让朱雨萌告到老板那里去，便作为上司出面调解一下，没想到这个朱雨萌比自己想象中要坚强得多。

"看到你这么乐观的样子，我就放心了。对了，你是怎么做到让那些流言刀枪不入的？"

朱雨萌迟疑了一两秒，最后扬起一抹笑容："因为心里有爱啊，有爱就可以是最好的屏障。再说了，不管多大的事情，吃饱了力量就会增强不少哦！"

听到这个答案，楚子昀忍不住宠溺地摸了摸朱雨萌的头。

能够得到这样的特殊待遇，朱雨萌感觉自己害羞得都快要爆炸了。

要知道，在她的心里，摸头是排在拥抱之前，在她心里觉得是最温暖最浪漫的动作之一啊……

"要更加坚强哦……"楚子昀的声音轻轻的，似乎不光是在跟朱雨萌说，还是在跟自己说。

朱雨萌似懂非懂地点了点头，脑子里早就是嗡嗡嗡的一片。

唉，如果能够继续当楚子昀的部下，那该多好啊……

如果现在这样的时光，可以过得慢一些，再慢一些就好了……

"朱雨萌！"就在祈祷着这一刻时间可以过得慢一些的时候，一个冷冷的声音响了起来。

两人纷纷回头，只见秦明朗拿着一把格子伞带着微微的怒气站在原地。

朱雨萌看见那把伞再看了看秦明朗忍不住吸了一口冷气。所有的一切都表明，刚刚发生的一切，都不是幻觉……

大老板刚才果真给自己打伞了……

而自己竟然毫不留情地就直接跑走了……

"你来我办公室一下。"秦明朗冲朱雨萌命令道。

楚子昀冲朱雨萌挥了挥手，就径直走下了楼。而朱雨萌则是异常忐忑地跟着秦明朗一起来到了他的办公室。

到了办公室之后，朱雨萌想要为刚刚自己跑走的事情好好解释解释，可是想了半天也找不出一个好的借口去解释。

秦明朗坐在椅子上之后，就异常低气压地一言不发。

面对着如此诡异的气氛，朱雨萌没忍住开了口："大，大老板，你叫我有什么事情吗？"

秦明朗抬起头看了朱雨萌一眼，那眼神里有埋怨还有愤怒，沉默了一阵之后，他这才没好气地说道："去给我泡咖啡。"

听到泡咖啡这个指令，朱雨萌整个人又有点云里雾里了……

为什么每次大老板叫自己泡咖啡都要搞这么大个阵仗，用这么不爽的口气……

不知道的话，还以为他要把自己炒了呢……

松了一口气的朱雨萌带着指令慢慢地离开了办公室。

等朱雨萌走了，秦明朗没来由地感觉到一阵烦闷。这样的烦闷不仅来自于朱雨萌的逃跑，更多的来自于，朱雨萌每次一见到楚子昀时浑身散发出来的兴奋。

他好像对这个女生不止是有点意思和有点兴趣那么简单了……

好像更多的是……

喜欢？

04

给秦明朗倒了咖啡后，朱雨萌就明白了伴君如伴虎这个道理，因为你从来就不知道这只老虎他心里到底在想什么……

唉……

朱雨萌有些郁闷地揉了揉头。

"下午开会的资料准备一下。"秦明朗从办公室走出来，语气冷冰冰的。

"哦，好的。"朱雨萌回应。

本以为秦明朗还会再说点什么，可他转头就走了。

"雨萌，雨萌，刚刚老板的脸很臭哦！你是有惹到老板吗？"等老板一走，苏梅梅就趁安琪不在过来八卦起来。

朱雨萌露出一副无奈的表情："没什么啦！"

"怎么可能没有，你没有看见刚刚老板的脸有多臭吗？天啊！你肯定是做了什么事情得罪了老板吧？朱雨萌你这下死定了，肯定要被发配边疆了……"苏梅梅继续危言耸听。

听着这些让自己更加惶恐的话，朱雨萌也不知道要怎么回应了，她拿起要送的资料，冲苏梅梅挥挥手，便准备下楼。

由于整个人都晕乎乎的，刚走没两步，朱雨萌就感觉自己撞到了一个软绵绵的物体，手上的资料也随之掉落在了地上。

"你没长眼睛啊！"一个尖锐的女声响起。

朱雨萌懵懵懂懂地退了两步，这才看清，站在自己面前的，是那个平时只有在电视上才能看到的王芯优。

"王，王，王……"看到自己的偶像出现在眼前，朱雨萌顿时有点语无伦次起来。

"王什么啊！你是没长眼睛是不是？"王芯优双手叉腰，一副凶神恶煞的样子。

看着这样的她，朱雨萌实在很难把电视上的她跟眼前的她重合在一起，倒是跟李美美还有陈辰说过的她有几分神似。

如果她的性格真的跟传说中的一样难搞，那自己岂不是死定了？

原本就忐忑的朱雨萌，此刻的心情已经瞬间掉到了谷底。

"你是聋子还是哑巴啊！"王芯优见朱雨萌一直没有回应，用手推她一下。

这才反应过来的朱雨萌，连连说道："啊，对不起，对不起，我真的不是故意的……"

"对不起？对不起有用吗？你知道吗？你撞得我整个人都要散架了！还说不是故意的？鬼才会信你呢！"王芯优继续咄咄逼人地说道，她不耐烦地拍了拍自己的衣服，拿出一副不会轻易放过的姿态。

"哎呀，雨萌，你真的没长眼睛啊，怎么能如此用力地撞到别人呢？"一直在旁边看戏的苏梅梅这时也开始落井下石地发话。

"对不起，对不起……"朱雨萌没想到这个王芯优这么难搞，除了说对不起，她的脑袋已经一片空白。

"你是听不懂人话啊！跟你说了说对不起没有用！"王芯优又一次重复道。

朱雨萌抬起头看着王芯优，表情有点恐惧和纠结："那，那要怎么才有用呢？"

"这样才有用！撞痛了别人就要还回来啊！"说着王芯优扬起手，猛地给了朱雨萌一巴掌。

莫名其妙地挨了一巴掌，朱雨萌感觉整个人都懵了。她呆呆地站在原地，感觉脸上一片火辣辣的疼痛。

"啊……"一直在一旁观战的苏梅梅也发出了惊呼声。

"怎么回事啊？"安琪从楼梯口走了上来，看到这一幕也有点傻眼。

王芯优看到安琪，嚣张的气焰又增长了一点："安琪你来了就好，这个没脑子的女生是从哪里冒出来的？这么没有经验的女生是怎么进入晴朗广告公司的？"

安琪看见王芯优表情变得有点尴尬，没有回答她的问题，而是说道："王小姐，你是过来找老板的吗？我先去通知一下。"

"我来为什么需要通知，我自己找他就好了啊！"王芯优的语气极其的不爽。

"老板已经反复交代过了，如果是你来，就必须要通报。"

听到安琪这段话，王芯优气不打一处来："我就是要去找他，我就不信，不通报他就不会见我了……"

安琪一步步朝前走，淡淡地回了句："王小姐，你也知道老板的脾气，如果你硬要自己去，那我也不阻止了。"

王芯优懊恼地想了一下，瘪了瘪嘴："好吧，你去通知，通知去吧……"

安琪点点头，走过朱雨萌身边，看到她头低低的，脸上还有5个红色手指印，轻轻地叹了一口气，然后温柔地拍了拍她的肩膀。

被安琪这么一拍，朱雨萌的头更加低了，她蹲下身将散落的资料一一捡了起来。

唉，老板秘书果然不是好当的，不仅要忍受臭脸，还莫名其妙地挨了一巴掌……

如果是在楚子昀的手下做事就好了，那样就不会有这样的麻烦了……

朱雨萌一边捡资料，一边在心里感叹。心里也觉得异常的委屈，可她还是不断地告诉自己，千万不能哭，哭就更加不对了……

这边安琪走到了秦明朗的办公室，她冲正在埋头看资料的秦明朗说道："老板，王小姐在外面吵着要见你。"

"哪个王小姐？"秦明朗继续低着头不假思索地问道。

"王芯优小姐。"

听到这个名字，秦明朗这才抬起了头："她来干什么？"

"不知道，就说是要见您。"

"没说什么事就不要见了吧，让她回去，说我没有空。"秦明朗继续低头，似乎很不想出去应对。

安琪见秦明朗拒绝，站在原地一时有些不知道如何是好。

过了几秒，秦明朗见安琪还没有走，这才问道："怎么了？"

"我觉得您还是出去一下比较好……"安琪的语气有些为难。

"怎么了？"秦明朗挑了挑眉毛，又继续说道，"她又为难你了吗？"

安琪摆了摆手："没有，没有，这一次没有为难我，只是，只是……"

"只是什么？"看到安琪越是欲言又止，秦明朗就越是觉得事有蹊跷。

"只是雨萌不知道怎么得罪了她，似乎还挨了她一巴掌……"想起刚刚朱雨萌红红的脸颊，安琪说道。

"什么！"听到这个消息，秦明朗浑身散发着怒气，猛地站了起来，快速朝着门外走去。

刚走出办公室，站在走廊的王芯优就对他露出了甜美讨好的微笑。

"怎么？终于肯出来见我了？"王芯优撩了撩头发颇为得意地说道。

一边走视线一边放在低头捡资料的朱雨萌身上的秦明朗，感觉胸口像是被人打了一拳，闷闷的不舒服……

"我这次来可是有很重要的事情跟你谈，你……"本以为秦明朗是来见自己的，但看着他绕过自己，径直去拉蹲在地上捡资料的女生，王芯优露出了一副难以置信的样子。

秦明朗将朱雨萌从地上拉起来之后，拨开她的头发，看见她的脸上赫然留着5个手指的印子，心像是被人揪了一下一样。

"老，老，老板，对不起……"朱雨萌以为秦明朗是要斥责自己，赶忙道歉。

"她打你了？"秦明朗眼睛里满是愤怒的神色，他冲朱雨萌问道。

面对这个问题，朱雨萌一时之间有点不知道怎么回答。

"明朗，你有没有听见我在说话啊……"王芯优走到秦明朗的身前，用撒娇的语气再一次说道，"我这次来可是有很重要的事情要告诉你哦！你听到了一定会开心的。"

秦明朗转头用凶狠的眼神看着身边的王芯优："她脸上的红印子是你留下的吗？"

王芯优不以为然地瘪了瘪嘴："是我留下的又怎么样？像这样莽莽撞撞的员工，就不要留在公司里好了啊！我这可是为了你好！"

"我用什么样的员工什么时候要你来管了？"秦明朗反问。

"我，我，我不是想要管啊，只是，只是这个女生她自己冒冒失失地撞到我，我这才打了她一下啊！拜托，明朗，我的腰还有胸口也被她撞得很痛啊！你都不帮我说话！"王芯优见秦明朗似乎有些生气，便开始采取起撒娇的战术。

看着这一幕的朱雨萌，脑子里有些凌乱，怎么这个秦明朗一过来，王芯优就跟换了个人似的啊……

"安琪！把王小姐送走，我不想看见她。"接下来秦明朗的一句话，让在场所有的人，都愣了一下。

王芯优更是气得直跺脚："秦明朗，你什么意思啊！为什么不想看见我？我可是，我可是你的前任女朋友啊！"

"你都说了是前任了，跟现在没有什么关系了吧！你要是再不走，我可是要不客气地请保全了。"秦明朗丝毫没有要客气的意思。

听到吩咐，安琪走到了王芯优的身边："王小姐，那麻烦你先回去吧，老板不想见到你。"

被一而再再而三地下逐客令，王芯优带着一肚子的火冲了出去。

本来以为自己会成为众矢之的的朱雨萌，看到这样的大反转，整个人更加的云里雾里了。

"安琪，你把下午开会的资料整理一下。"秦明朗吩咐完安琪之后，一把拉着朱雨萌，"你，跟我来。"

被秦明朗拉着的朱雨萌心惊胆战到了最高的境界，她一边挪动步子，一边在心里猜测，这个秦明朗不会把自己叫到办公室单独训话吧！

天啊，她怎么会这么倒霉，被打还要被骂……

人生就这么的残酷吗？

05

走进了秦明朗的办公室，朱雨萌因为紧张而全身紧绷了起来。

"坐下。"秦明朗指着一旁的位置，冲着朱雨萌吩咐道。

朱雨萌双腿一软立马坐到了指定位置。

虽然不知道迎接自己的到底是怎么样的狂风暴雨，但是此刻，乖乖听话，应该是最保险的选择……

秦明朗坐到了朱雨萌的对面，双眼带着疼惜的神色紧紧地盯着她。

被大老板这样盯着，朱雨萌感觉自己浑身上下像是多了许许多多的刺，怎么都不舒服。

唉，大老板啊，您要杀要剐就赶紧放马过来吧……

这样的拖延战术，真是让人心里感觉到很是焦虑啊……

朱雨萌一边闪躲着秦明朗的眼神，一边在心里哀叹道。

可秦明朗丝毫没有要速战速决的样子，他继续用炙热的目光死死地盯着朱雨萌。

就这样僵持了一分钟，朱雨萌感觉再这样对视下去，自己就要缴械投降了，便打破了沉默："老，老板啊，你叫我过来有什么事啊，如果没有什么事情的话，那我继续回去工作了啊……"

说完，朱雨萌就立马站起身，此刻她只想赶紧逃之夭夭。

可让她没有想到的是，秦明朗在她站起的一瞬间，立马抓住了她的手，并顺势将她又拉回到了座位上。

朱雨萌瞪大眼睛，整个人像是处于五六十度的蒸笼里，浑身都冒着热气。

"老，老板，你是还有什么吩咐吗？"朱雨萌感觉自己身上的气温已经高得快要爆炸了。

秦明朗还是没有说话，他朝着朱雨萌脸上的红印慢慢地伸出了手，并轻轻地温柔地抚摸了一下。

秦明朗刚一触碰到朱雨萌的皮肤，朱雨萌就感觉自己全身有一股强大的电流穿过。

大老板这是要干什么？不是骂自己，也不是有什么事情命令自己？

而是摸摸自己的脸？

朱雨萌觉得自己要换个16核的大脑才能处理现在这样的情况。

"疼不疼？"轻轻抚摸了几下朱雨萌的脸颊，秦明朗这才温柔地开了口。

见大老板不是责骂自己，而是要关心自己，朱雨萌这才松了一口气，她摇摇头："不疼，不疼，没事的。"

"朱雨萌。"秦明朗的眼神和表情都堆满了疼惜。

"嗯？"朱雨萌抬起头，看着面前如此温柔的秦明朗，心脏忍不住怦怦地跳动起来。

"你怎么总是说没有事啊……"秦明朗扬起一抹苦笑。

"因为真的都不是什么大事啊！没关系的，脸上挨巴掌没有什么大不了的，谢谢老板关心。"朱雨萌挤出一丝微笑。

此刻她只想要赶紧逃离这个办公室，逃离大老板的魔爪。

因为也不知道为什么，她总感觉只要有大老板在的地方，空气都不是很好，哪怕老板此刻一反常态地温柔对待自己，可她还是觉得很惊恐，甚至比老板骂自己还要觉得紧张，她紧张到快要窒息了。

"嗯，你还看得出我对你关心了啊？"秦明朗的脸上露出一丝若有若无的笑容。朱雨萌赶忙接话："那是当然，你是个好老板，对员工都是非常关心的嘛……"

本以为自己是顺势拍了一下老板的马屁，可没想到似乎是拍的位置不对，听完这句话，秦明朗的表情又变得冷冰冰起来，朱雨萌心里的担忧又一次慢慢爬了上来。

"对所有员工都关心？"秦明朗重复了一次这句话，便站起了身。

"你出去吧，今天的工作不要做了，去休息室休息一下。"说完，秦明朗就又坐回了办公桌的位置。

朱雨萌也不知道自己怎么又得罪了这个大老板，吐了吐舌头便慢慢退了出去。既然老板让她休息，她也就不好意思客气了，下午的时间里，她在休息室里美美地睡了一觉，醒来安琪还给她送来了冰袋，还有好多好多美味的零食。

看见自己可以享受这么多特殊又美好的待遇，朱雨萌心里的阿Q精神又一次澎湃起来。这个世界就是这样的有趣，有坏事情发生，就一定会有好运在等着安慰你……

这样想想，即便被打了一巴掌很是委屈，但也不算坏事吧……

06/CHAPTER

第六章

千万不要跟我太有食物过不去！

到底是处于恋爱中的人嘛，给狗取个名字，都这么的肉麻兮兮……

01

　　眼前的景象，朱雨萌以为只有在梦里才会出现，可不论她怎么掐掌心，疼痛都在提醒她，一切都是真的。

　　此刻在灯光昏黄、气氛小资的日式拉面店中，穿着得体有型的深蓝色西装套装的楚子昀正坐在她的对面，两人的模样表情在拉面氤氲出的雾气中，显得柔美梦幻。

　　"发什么呆呢？"楚子昀的声音将朱雨萌拉回了现实。

　　朱雨萌愣了一下后，傻笑了一声："没什么没什么，就感觉能够跟你坐在一起吃面像是做梦一样……"她脸上无比甜蜜的笑容，彻底出卖了她的心思。

　　楚子昀听到这话，也是淡淡一笑，他伸出手摸了摸朱雨萌的头："赶紧吃吧，这家拉面很不错的哦……"

　　楚子昀的动作让朱雨萌害羞得只差把脸放进拉面碗里，她重重地点了点头："嗯，立马就吃。"

"上次就给你推荐了这家店，一直想说找个机会带你来吃，正好今天有空就约你出来了。不过其他同事都因为有别的事情，所以不能来，就你和我，你不会介意吧？"说完，楚子昀继续挑起面吹着热气。

"不介意，不介意，完全不介意的……"朱雨萌慌乱地摇了摇手，又怕自己表现得太过于热情，便又补充道，"下次可以叫上大家一起吃，下次等大家有空的时候。"

楚子昀表示赞同地点了点头："快吃吧，你也饿了吧……"

"好，好。"朱雨萌点了点头，可完全按捺不住心中的喜悦，于是心思完全没有放在拉面上，说完话就一直偷偷地瞟着坐在对面的楚子昀。今天刚下班，终于逃脱了大老板的魔爪，又接到了楚子昀的邀请，朱雨萌感觉整个世界都变得明亮了。

两人一边吃，一边不时地看着对方微笑。这样的场景，让朱雨萌感觉心里甜甜的。曾几何时，这样梦幻美妙的场景只有在梦里才会出现啊……

现在竟然真实地发生了……

朱雨萌感觉自己兴奋得都可以尖叫了……

"这里的拉面最著名的就是这个汤，面吃完了，也可以喝喝汤哦！"说着，楚子昀端起碗喝了一口。

朱雨萌笑了一下，正准备喝一口汤，桌边上的手机响了起来，一眼瞥见是大老板的号码，她似乎感觉到了美梦破碎的气息。

"怎么不接电话啊？"楚子昀见朱雨萌的表情显得有些犹豫，便问道。

朱雨萌苦笑一下，这才有些不情愿地接起了电话："喂？"

"你在干什么？"秦明朗的声音听起来似乎心情还不错。

"在吃饭呀，老板有什么事？"朱雨萌搞不懂下班了老板还找自己干什么，还找了这么一个重要的时刻。

"吃饭？跟谁？"秦明朗的语气变得有些警惕。

"跟楚部长一起，请问有什么事情吗？"朱雨萌想也没想就直接实话实说。

听到朱雨萌回答说是跟楚子昀一起吃饭，电话那头的秦明朗开始变得沉默。

"喂？喂？老板？你打我电话有什么事情吗？"朱雨萌有些疑惑地继续追问。

"立马打车到我家来。"秦明朗声音冷冷的。

"啊？到，到，到你家？到你家做什么？"听到这个要求，朱雨萌有些恐慌，虽然自己是他的秘书，但不包括上门服务吧……

"到，到，到我家……"电话那头秦明朗的声音显得有些犹豫，他竟然也开始支支吾吾起来。

看到如此反常的老板，朱雨萌忍不住拧了拧眉头。

就在这时，电话那头传来几声狗叫。

"啊，你到我家来帮我喂狗吧。"狗叫声之后，秦明朗像是想明白了什么似的立马说道。

"到你家，喂狗？"朱雨萌对于这样匪夷所思的要求表示很是纳闷。

"是呀，我家新买了一只小狗，你养过狗吗？"说到喂狗之后，秦明朗的声音变得轻快了许多。

"小时候倒是养过啊，可是，可是，老板，您难道连喂狗都不会吗？只要给它吃的陪它玩就好啦……"朱雨萌根本一刻都不想离开这家梦幻的拉面店，便带有间接拒绝的语气说道。

"不会，这只狗要你过来喂它。别说了，赶紧打车过来吧，给你报销，如果不过来，就小心这个月的工资哦！"电话那头的秦明朗完全是一副奸商的嘴脸。

听到可能会被扣工资，朱雨萌整个人都不好了。辛辛苦苦工作了这么久，受了这么多的委屈，做了那么多本来不是自己的事情，竟然因为不去喂狗，就要被扣掉工资……

怎么想也都是不划算的啊！

经过了激烈的心理斗争，看着坐在对面的笑容明朗的楚子昀，朱雨萌一狠心还是决定，先保住工资比较重要。

"好的，那，那老板，你把地址发我一下吧……"朱雨萌有些不情愿。

秦明朗露出了一抹奸笑回应道："早已经发给你了，拜拜。"

看着挂掉的电话，朱雨萌才发现地址几分钟之前就已经发在手机上了……

不愧是大老板啊，没有考虑自己会不会答应，就直接发地址过来
了……

"怎么？老板找你有事吗？"楚子昀问道。

朱雨萌露出抱歉的表情，语气也显得有些沮丧："不好意思啊，今
天不能跟你一起吃拉面了，老板让我立马过去。"

说完，她就开始收拾起包包来。

楚子昀的表情也变得不是很好看，他苦涩地一笑放下筷子："要不
我送你过去吧……"

跟楚子昀吃面吃到一半就要提前离开，朱雨萌已经够不好意思了，
想着要是还要他送，就更过意不去了，于是朱雨萌连连拒绝："没事，
没事的，你不用管我了，你先吃吧，不好意思啊，过两天等你有空，我
请你吃饭……"

"好吧，那你路上小心吧，有什么事情，打电话给我。"楚子昀见
朱雨萌拒绝，也没有再坚持，而是温柔地提醒道。

朱雨萌弯弯腰表示抱歉："嗯，好的，真是不好意思，面都没有吃
完就要走了。"

"没事，你有事就赶紧去忙吧！"

"嗯，那拜拜。"说完，朱雨萌就背着包包跑了出去。

看着朱雨萌的背影，楚子昀完全没了吃面的心情。想起刚刚打电话
的内容，他似乎听到了什么喂狗。

可是，在公司这么久，从来就没有听过，老板有养过狗啊⋯⋯

02

急急忙忙赶到秦明朗给的地址后，朱雨萌站在一栋硕大的别墅前愣了神。

大老板就是大老板啊，住的房子都是城堡级别的⋯⋯

每天在这样大的房子里生活，不会迷路吗？

朱雨萌一边想，一边按了门铃。刚按了没几秒，一个看起来有五十多岁的大叔就笑吟吟地走出来。

"是朱雨萌小姐吧？"大叔的笑容异常的和蔼慈祥。

朱雨萌连连点头："是的，是的。"

"老板已经在等你了。"大叔说着就给朱雨萌引路。

看着大叔的背影，朱雨萌忍不住想，既然家里有用人的话，为什么大老板非要自己过来喂狗呢？

难不成，自己在大老板心里，也是用人一样的存在？

读了四年大学，从不旷课迟到，按时完成作业，连个恋爱都没谈，拿了四年奖学金，到最后，变成了老板的用人。

这样的想法，让朱雨萌有些欲哭无泪。

大叔将朱雨萌引到了别墅的大厅，欧式风格的装修，让整个大厅看起来有一种简约的奢华。

而在大厅的沙发上，秦明朗正一脸冷冷地坐着翻着杂志，他的不远处，有一只棕黄色的小泰迪正趴在地板上睡觉。

"老板。"朱雨萌走到沙发旁边。

秦明朗抬起头，看见朱雨萌，嘴角露出一抹似有似无的微笑："你来啦！"

"嗯。"朱雨萌点点头，然后瞥见一旁的狗狗，"它好像在睡觉啊，它是饿了吗？"

听见这话，秦明朗站起身，走到狗狗的身边："它饿了啊，刚刚一直叫个不停，叫累了所以睡着了。"

朱雨萌走到狗狗的旁边，轻轻抚摸它的卷毛，问道："它叫什么名字啊？"

听到这个问题，秦明朗愣了几秒。朱雨萌抬起头看他，发现他的表情似乎有些迟疑的样子。

过了半晌，秦明朗四周看了看说："它叫小番茄。"

"小番茄？"听到这个名字，朱雨萌觉得好古怪，便忍不住皱了一下眉头。

随着两人的交谈，睡在地上的小番茄动弹了一下，伸了伸腿之后，它睁开了有些迷蒙的双眼。

"它醒了，有狗粮和牛奶吗？"朱雨萌问道。

秦明朗指了指吧台旁边的柜子："狗粮在那儿，牛奶在冰箱。"

朱雨萌站起身拿了狗粮和牛奶，把牛奶加热了一下之后，就找了个小盘子将狗粮泡在了牛奶中。

得到食物的小番茄吃得很是欢快。

"因为是小狗，所以最好用牛奶泡着狗粮给它吃，嗯，可以把这个方法告诉一下刚刚那位大叔。"看到自己的任务终于完成，朱雨萌松了一口气。

秦明朗像是很满意的样子说道："张叔是管家，不是来给狗喂食的。"

面对他如此分工明确的说法，朱雨萌有些纳闷，为什么大老板对她就不能分工明确一点呢？

自己不过是一个小小的秘书，不光要拟定合同、送文件，还要帮他买早餐、表演策划案，现在还要帮忙喂狗……

"那你可以让别的用人帮忙喂狗啊……"朱雨萌轻声嘟囔。

秦明朗面对这句抱怨就当是没有听到，他蹲下身温柔地摸了摸小番茄的卷毛："小番茄吃饱了没，你要记得这个给你喂饭的人哦。"

小番茄舔了舔嘴巴，像是回应似的摇了摇尾巴。

朱雨萌不知道秦明朗话里的意思，便站在原地，想着怎么告辞比较好。

"老板，饭做好了，您和朱小姐可以去吃了。"就在这时，一个四十岁左右的中年女人走了进来，冲秦明朗毕恭毕敬地说道。

秦明朗点了点头，然后对一旁的朱雨萌说道："一起吃饭吧。"

听见这个邀请，朱雨萌有些不好意思地摆了摆手："不用了，不用了，我吃了拉面过来的，我不饿，一点也不饿。"

见自己的邀请被拒绝，秦明朗挑了挑眉，语气也变得有些冷淡："张姨可是知道你要过来，所以专门做了海鲜大餐哦，你确定你不要吃吗？"

　　"海鲜？"朱雨萌的眼睛开始闪出光芒，要知道她最喜欢的就是各种海鲜啦，每次去吃自助餐，都要吃海鲜吃到饱啊……

　　看着自己的目的达到了，秦明朗扬起一抹得意的笑容："如果你不吃的话，就直接回家吧，不过这里的的士似乎不是很好拦，今天的海鲜似乎弄了很多，看来是吃不完了……"

　　想着自己千里迢迢过来就帮忙喂了个狗，要是不吃点什么，真的就太亏了，朱雨萌于是就直接恭敬不如从命了："如果做得比较多的话，那我看，我还是吃好了，浪费食物这种行为是不好的。"

　　秦明朗狡黠一笑，便大步地走向了房子另外一侧的餐厅。

　　跟着秦明朗一起走进了餐厅，朱雨萌感觉自己简直是走进了食物的天堂，看着有盘子那么大的螃蟹，还有举着大钳子的大虾，她就忍不住口水直流。

　　资本家的生活到底是奢侈啊，一顿晚餐都是如此奢华的风格啊……

　　简直是太奢侈，太浪费了……

　　不过她真的好喜欢啊……

　　看着那些似乎都在对自己招手的食物，朱雨萌的心花开始一朵朵绽放。

　　"海鲜都是剥好了的，老板、朱小姐，用餐愉快。"说完，张姨就退下了。

　　不仅美味还不用自己动手，朱雨萌的魂都被勾走了一大半。

　　"吃吧，就当给你过来喂狗的犒劳费。"秦明朗说道。

　　朱雨萌冲秦明朗笑笑，便开始不客气地吃了起来。大概是因为跟秦明朗在一起吃饭久了，以前还会矜持地不太敢吃，现在在吃饭这方面，朱雨萌感觉自己已经完全放开了。

　　看着朱雨萌大快朵颐的样子，秦明朗嘴角的笑意越来越明显："怎么样，比你吃的拉面要美味得多吧？"

　　"拉面有拉面的好，海鲜有海鲜的好啊……"朱雨萌的心思完全沉浸在食物里，想也没想就回答了。

　　等说完发现对面的秦明朗脸色有些不对，她这才反应过来，白吃白喝的时候应该要学会讲点场面话的。

　　"呵呵，要是真的比起来，那肯定是海鲜比较美味啦！更何况是跟大老板一起吃，所以就更加美味了啊……"想明白之后，朱雨萌立马开启了拍马屁的模式。

　　听到这话，秦明朗露出了微笑，给了朱雨萌一个满足的眼神："嗯，可以再说多一点。"

　　"嗯？"朱雨萌有些疑惑。

　　"因为跟我在一起吃，所以食物才会变得美味，这种话可以说得多一些。"秦明朗解释道。

　　朱雨萌额头滑落了几道黑线，现在是大老板主动要求表扬吗？

"跟特别关心员工，特别和蔼可亲，特别帅气的大老板一起吃饭，就会觉得特别的美味，所以啊，我特别喜欢跟大老板一起吃饭。"朱雨萌硬着头皮又说了一堆特别违心的话。

秦明朗的笑意越来越明显，他抿了一口红酒："听你说了这么多，我感觉你以后可以多说一点这样的话，最好在说的时候，内心里也这样觉得，觉得我是全世界最好的老板。"

朱雨萌整个人就差石化在原地了，要不是为了这些可口的美味，她是绝不会说这么多的违心的话的。

"好了，吃吧，赶紧吃吧。"秦明朗挥了挥手。

得到指令之后，朱雨萌继续大快朵颐起来。

要知道，能够吃这么一顿丰盛的海鲜大餐还真是一件不容易的事情……

03

想着昨天那样放了楚子昀的鸽子，一大早朱雨萌买早餐的时候，便也替他一起买了一份。

把早餐送到办公室的时候，楚子昀竟然已经坐在位置上了。

"部长，这是给你的早餐，昨天真是不好意思。"朱雨萌将早餐递过去，有些不好意思地红了脸。

楚子昀接过早餐，脸上露出微笑："谢谢，昨天老板找你没有什么事吧？"

听到这个问题，朱雨萌有些为难，她总不能告诉楚子昀，昨天自己那么火急火燎地跑去老板家，只是帮他喂了一下狗狗吧……

这样说出来，总感觉自己很糗的样子……

想到这里，朱雨萌摸了摸头，吞吞吐吐地解释道："哦，哦，没，没有什么事情呢！只是工作上有些事情没有交接好，所以老板让我过去一下。"

"那怎么昨天听你在电话里说，有什么狗呀？老板有养狗吗？"楚子昀回想起昨天的对话，有些纳闷。

"哦，哦，狗啊，没有什么呢，只是老板的一个朋友有养狗，所以就顺便问了一下我对狗狗是不是了解。"朱雨萌感觉如果楚子昀一直纠缠这个话题，她就快要撑不下去了。

上天保佑，楚子昀并没有再纠缠这个话题，而是对朱雨萌发出了一个充满诱惑力的邀请。

"对了，雨萌，今晚9点，有一个京南学校的聚会，你要不要来，嗯，参加聚会的都是咱们学校的学长学姐。"

听到这个邀请，朱雨萌的心里立马乐开了花。

非但可以跟楚子昀相处，还能作为他的女伴出席这种聚会，何乐而不为呢？

"好呀，那下班了我就回宿舍换件衣服，然后我们在哪里见呢？"朱雨萌一口答应。

"嗯，在同飞大酒店，我们8点50在那里碰面怎么样？不好意思，因为下班后还有一些事情，所以不能去接你。"楚子昀露出抱歉的表情。

朱雨萌连连摆手："不用的，不用的，我们宿舍到那里也不是太远，不用来接的，那就这样说好，我们8点50在同飞大酒店见！"

"好。"楚子昀的微笑依旧迷人，他站起身摸了摸朱雨萌的头，"那就到时候见！"

朱雨萌害羞地点了点头："好的，那我去上班了，拜拜。"

"嗯，拜拜，加油工作！"楚子昀做出了一个加油的动作。

从楚子昀的办公室走出来，想到晚上的约会，朱雨萌感觉自己整个人就差开心得飞起来了，她满脑子都是自己的衣柜里，到底有什么样适合的衣服，还有是不是应该请苏梅梅给自己化个淡妆？

一直到给秦明朗送完早餐，朱雨萌雀跃的心情也丝毫没有减弱。

接下来的一整天，都在期盼的心情中度过了，因为心里有期待，朱雨萌感觉，时间似乎都过得快了一些……

好不容易熬到了下班时间，朱雨萌整理完最后一份资料，就带着无比兴奋的心情走到了秦明朗的办公室。

在办公室里，秦明朗正低头看着文件，而一旁的休息沙发上，吴佑轩举着手机玩着游戏，两人互相没有干扰。

"老板，这是复印好的合同，你看一下。"朱雨萌将合同放好之后，就转身准备离开。

"朱雨萌，你脸上为什么洋溢着那么灿烂的微笑，你是下班之后又有约会吗？"吴佑轩放下手机，打趣地说道。

朱雨萌有些慌乱："啊，你，你说，什么呢，没有啊，没有什么约会啊……"她怎么也想不明白，这个吴佑轩是怎么看出来自己有约会的。

看着她如此紧张的样子，吴佑轩笑笑，一旁的秦明朗也放下了手中的合同，一脸狐疑地看着她。

"这么紧张？难道是我猜对了吗？怎么？是有约会的对吧？跟谁，赶紧来八卦一下。"吴佑轩问道。

朱雨萌感觉浑身都有点不自在，她低着头，脸红成了一个番茄："没有，没有，再见，我下班了，走了。"

说完，她就快步朝前走，想要赶紧离开这个办公室。

"慢着。"刚走到门边，就听到秦明朗冷冷的声音。

朱雨萌回过头，心里闪过一丝不祥的预感。

"昨天的那个明达房地产公司的资料整理好给我，还有好妈妈孕婴公司的产品资料也给我整理一下。"秦明朗拧着眉头，看起来似乎心情有些不爽。

听到一下多了这么多的工作，朱雨萌有些欲哭无泪："老板，明天交给你可以吗？"

"不可以，整理好了，立马交给我。"秦明朗残酷地拒绝了朱雨萌的要求。

朱雨萌哭丧着脸："好的，那我去加班了。"

说完，朱雨萌就带着沉重的脚步走出了办公室。

一份资料大概要整理一个半小时，如果够快的话，那么在8点半之前，还是可以从公司赶到酒店的，只是就没有了化妆和换衣服的时间……

朱雨萌在心里大概地算了一下时间后，心情难免有些懊恼。

等看着朱雨萌走出了办公室，吴佑轩站起身，走到了秦明朗的身边。

"喂，不是说好下班一起去打球吗？怎么突然要加班了啊？"吴佑轩有些纳闷，如果不是说好一起去打球，他就不会来这里等他了啊……

秦明朗专心致志地看着合同，眼睛都没抬地冷冷回应道："不去了，今天事情很多，需要加班，你自己去吧……"

"你这个人……"吴佑轩有些不爽，"刚刚不是还说好了，怎么一下子就多出事情了啊？那个什么明达房地产，还有好妈妈孕婴的资料，明明就可以下个星期再处理，为什么硬要今天弄呢？"

"下个星期处理好也可以，今天弄好又没有什么错……"秦明朗一副无所谓的样子。

吴佑轩低下头仔细观察了一下秦明朗的表情，思索了一阵子，嘴角露出了一抹狡猾的笑容："哦，我知道是怎么回事了。"

秦明朗没有理会他，继续低着头看着手里的合同。

"喂，是因为听到那个朱雨萌要去约会，所以你才会这样没事找事做吧……哈哈，没想到你秦明朗竟然会用这么卑鄙的手段啊……"说完，吴佑轩撞了撞秦明朗的胳膊。

秦明朗没有回应，整理了一下手中的合同，就拿出手机，开始拨打电话："喂，安琪啊，帮我订两份外卖，嗯，要我平时最喜欢的那一家，嗯，是的，到公司。"

交代完毕之后，他又开始看起了手边的合同。

"秦明朗啊秦明朗，我算是发现了，你对那个朱雨萌算是动真格的了……"吴佑轩感叹道。

听到这句话后，秦明朗一直冷冰冰的脸上，这才露出了一抹极淡极淡的笑容。

"可是，你要是真的喜欢人家，就努力去追啊，你这样阻止她的约会什么的，会不会有点卑鄙啊？"吴佑轩想起刚刚朱雨萌一脸雀跃兴奋的样子，就忍不住打起抱不平来。

秦明朗放下合同，脸上有些不耐烦："吴佑轩，论追女生的卑鄙，我能比得上你？"

秦明朗的一句话把吴佑轩差点给噎死，他憋红了脸，过了好久，这才说出了一句："好，所以你今天是不去打球了是不是？"

秦明朗点了点头。

"好，那我自己去。"说完，吴佑轩就气呼呼地转过身准备离开。

走到半路，他像是想起了什么似的，转回身冲秦明朗说道："对了，我那天丢在你家的狗狗，你什么时候还给我？要不我自己去拿。"

秦明朗想也没想就直接回应道："那只狗我决定替你养了，遇到你这样不负责任的主人，我决定收养你们家的狗。"

吴佑轩气不打一处来，他冲回到秦明朗的身边："喂，我什么时候说过要把狗狗给你的啊！那天，那天是因为有特殊情况，所以才会暂时放在你家里。"

"要追的女生因为对狗毛过敏所以临时放到我那里，这个算是特殊情况？"秦明朗一脸的鄙夷表情。

吴佑轩自知理亏说不过，便开始耍起赖来："喂，拜托，那只狗我可是刚买的，你别就这样拿过去啊，再说了，你不是一直都不太喜欢宠物吗？"

"以前是不喜欢啊……"秦明朗的嘴角露出笑容，"可现在觉得养一只倒也挺不错……"

吴佑轩有些无语，他摆了摆手："反正每次你要的东西，就一定会得到，所以，现在是不管我说什么，都不肯把狗还给我了是不是？"

秦明朗站起身拍了拍吴佑轩的肩膀，用像是有些安慰的语气说道："放心吧，我已经交代了，买一只一模一样的狗还给你，你这个月没有完成的任务我也这么算了。"

见能够得到这样的补偿，吴佑轩这才有些满意地点了点头："好吧，算你还有点义气，我就忍痛割爱地把我家虎子送给你吧！"

秦明朗坐下身，冷冷回应了一句："它现在不叫虎子，叫小番茄。"

听到小番茄这个名字，吴佑轩就差在原地石化了……

到底是处于恋爱中的人啊，给狗取个名字，都这么的……

这么的，萌萌哒……

04

把资料整理完，已经是8点半了，眼看就要赶不上聚会的时间，朱雨萌收拾好包包立马小跑着准备冲出办公室。

"等一下。"还没走两步，秦明朗的声音就响了起来。

朱雨萌怯怯喏喏地回过身，看到那个让她不寒而栗的身影，整个人有些凌乱。

大老板不会还有什么事情要交代她去做吧……

这一次，她是真的不想再放楚子昀的鸽子了……

想到这里，朱雨萌准备鼓起勇气告诉秦明朗，不管有多么重要的事情，自己现在都一定要走了。

"我送你。"还没等朱雨萌把话说出口，秦明朗就冷冷开口。

听见要送自己，朱雨萌便抱着恭敬不如从命的态度乖乖地跟在了秦明朗的身后。

上了车之后，朱雨萌就冲秦明朗微微一笑："同飞大酒店，谢谢。"

听见不是去宿舍，秦明朗的表情有些不爽，他慢慢发动车，然后保持了一言不发的一贯风格。

秦明朗本来以为朱雨萌会主动解释，自己要去同飞酒店干什么，可等了很久，她也只是望着窗外带着微笑发呆。

他有些按捺不住好奇心，但语气是故作不经意地问道："你去同飞酒店干什么？"

"去参加学校的聚会，据说很多学长学姐都会参加。"朱雨萌一提起待会儿的约会，整个人就忍不住的兴奋。

"据说？"秦明朗的表情有些狐疑，"你之前没有参加过？那这一次是谁邀请你的呢？"

朱雨萌看到就在眼前的同飞大酒店，脸上的笑意越来越明显："哇，就在前面了，可以停车了，谢谢老板哦！"

等秦明朗停了车，朱雨萌就赶紧下了车，还没等她关上车门，秦明朗就弯身再一次询问道："你还没有回答我的问题。"

朱雨萌想了一会儿，才想起秦明朗口中指的问题是什么。

"哦，是楚子昀，楚部长邀请我的啊……老板再见。"说着，朱雨萌就带着轻快的步伐朝着酒店走去。

看着朱雨萌的背影，秦明朗感觉自己心中的酸味在翻腾。

不是已经把她留到这么晚了吗？

怎么还能参加那个聚会呢！

就在懊恼的时候，秦明朗瞟见副驾驶的位置上，朱雨萌的项链不知道什么时候掉落在那里了。

这样的状况，像是给了秦明朗什么启示一般，他拿起项链，嘴角浮现了一丝笑容。

05

朱雨萌跟楚子昀在酒店大厅会和之后，就在他的带领下到了聚会的现场。

现场的情景是灯红酒绿，男宾一个个都身着晚礼服，女士个个都足蹬高跟鞋。朱雨萌看着自己的白T恤牛仔裤还有帆布鞋，忍不住有些沮丧。

如果不是要加班，自己也能换一身看起来正常的衣服过来……

可是现在的她，感觉自己有点像端酒的服务生。

"雨萌，这里的酒都是果汁酒没有什么度数，所以你可以放心喝。"楚子昀拿起一杯绿色的果汁酒递给了朱雨萌。

朱雨萌接过，微微地抿了一口，淡淡的苹果味瞬间充斥了她的味蕾。

"很好喝……"朱雨萌说完，又忍不住多喝了几口。

"那边还有很多好吃的甜点哦，不要太紧张，大家都是同一个学校的，很好交流和相处的……"楚子昀看着朱雨萌似乎有些紧绷的状态，便开始安慰起来。

对于如此贴心的楚子昀，朱雨萌感觉到了一阵温暖。

"呀，子昀，真是好久不见哦！"一个穿着红色裙子的女生踩着10厘米的高跟鞋出现在了朱雨萌的视线中。

紧接着楚子昀就跟那个红裙女生紧紧地拥抱在了一起。

"果果，我也好久都没有看到你了，你真是越来越漂亮了。"楚子昀的眼睛里带有甜甜的笑意。

　　叫果果的女生有些害羞地摸了摸自己的头发："你还是这么会说话，让女生感觉到无比的温暖啊……"

　　楚子昀低头笑了一下，抿了一口酒。

　　朱雨萌站在楚子昀的身边，有些尴尬地不知道该说些什么，便也跟着笑笑。

　　果果上下打量了朱雨萌一番，然后冲楚子昀问道："她是？我怎么感觉好像没有见到过啊……"

　　"哦，都忘记给你介绍了，她是我公司的同事，也是我们的小学妹，叫朱雨萌。雨萌，这是我们学校的大才女，叫果果。"楚子昀为两人做起了介绍。

　　果果首先伸出手示好："雨萌，你好啊！"

　　朱雨萌有些受宠若惊，她伸出手，答道："果果学姐你好。"

　　"好啦，我还要去那边找其他同学聊天，就不管你们了哦！"果果冲楚子昀挥了挥手。在准备离开的时候，她看了朱雨萌一眼，然后弯下身冲她轻声说道："像楚子昀这样对谁都温柔的男生，如果喜欢上了，可是一件非常辛苦的事情哦……"

　　听到这话，朱雨萌立马羞红了脸。

　　她一直以为自己对楚子昀的好感是处于在保密的阶段，却怎么也没有想到一个从未见过的陌生人，竟然一眼就看了出来。

"雨萌，她在你耳边说了些什么啊？"等果果走了以后，楚子昀有些好奇地问道。

朱雨萌一个紧张地喝了一大口果汁酒。然后她深吸一口气，假装镇定地说道："没，没什么，就说让我玩得开心。"

楚子昀笑着点了点头："那我们去那边走走吧，那里还有专门的舞者在表演节目。"

一心在甜品上的朱雨萌对于这样的邀请也只能默默地点了点头。

等两人走到了表演节目的区域，楚子昀一下子见到了好几个大学的同学。他和同学们聊得热火朝天异常开心。此时，朱雨萌觉得自己似乎有些多余。

正在她准备默默离开，朝着甜品区域走去的时候，一个黄色的身影出现在她的面前。

"哎哟，我以为是谁呢！"琳达端着酒一副不好惹的样子。

看到琳达出现，朱雨萌心有余悸，她慢慢地退后了两步，挥了挥手："琳达，好巧啊，你也在这里呢……"

琳达冷哼了一声，然后挽起一个正在跟楚子昀谈笑风生的男生的手臂："我怎么不能在这里，我男朋友可是你的学长。"

见到琳达，楚子昀也是同样的讶异："琳达，你也来了啊！"

琳达笑笑："部长，下班时间，不会连下属有什么私人活动也要管吧……"

"没，没有，我可没有这个意思。"楚子昀笑笑。

"我说朱雨萌，这样的场合你就穿成这样，到底是什么意思啊？是觉得自己朴素就足够漂亮，还是说你甘愿来衬托我们呢？"琳达语气里的刺一根根地刺向了朱雨萌的胸口。

朱雨萌不知道如何回应，只能把头压得低低的。

琳达依旧是一副咄咄逼人的态度。她带着撒娇的语气冲她男朋友说道："亲爱的，我上次跟你说的，被一个新来的女生挤掉了秘书位置的，那个女生就是她！别看她看起来斯斯文文的，其实手段和心思特别的多……"

这样的话音一落，不少人对朱雨萌开始议论纷纷，她开始用求救的目光看向楚子昀，却没有料到楚子昀此刻只是露出了一副有些尴尬的表情。

看着他这样的表情，朱雨萌感觉自己的内心闪过一丝刺痛。

在这样的时刻，原本以为，他会站在自己这一边……

可他脸上尴尬的表情，却只表明了一件事情，那就是他为认识自己似乎感觉到有些尴尬和丢脸……

这样的想法让朱雨萌感觉鼻子有点酸酸的……

议论声丝毫没有停止的意思，就在朱雨萌感觉自己快要爆炸的时候，一首圆舞曲在大厅里奏响。

听到曲子响起，所有人这才放弃议论，开始找到各自的舞伴准备跳起来。

楚子昀走到朱雨萌的身边，轻声问道："雨萌，你不会生气吧？"

　　朱雨萌忍住心里的委屈："没，没有，我没有生气呢……"

　　"没有就好，刚刚我不解释，只是不想越说越乱，你啊，不要在乎这些议论。"

　　"嗯。"朱雨萌乖乖地点了点头。可虽然是这样，她心里还是希望，能有一个人坚定而又肯定地告诉所有人，她，朱雨萌，并不是大家嘴里议论的那种人……

　　"那要不一起跳个舞吧……"楚子昀发出了邀请的动作。

　　"对不起啊，我不太会跳舞，所以还是算了吧……"朱雨萌觉得胸口有些闷闷的，便拒绝了。

　　楚子昀脸上的表情有些尴尬，就在这时一个穿着蓝色裙子的女生走到两人的面前，并跟楚子昀跳了起来。

　　看着众人旋转着美妙舞姿，朱雨萌感觉自己似乎并不属于这里，整个大厅里面，除了她，其他的人不是在轻声谈笑，就是在翩翩起舞。

　　"来吧，跳一曲吧……"

　　就在有些暗自神伤的时候，朱雨萌的身后传来了一个熟悉得不能再熟悉的声音。

　　朱雨萌回过头，只见秦明朗不知道什么时候站在了自己的身后，还没等她反应过来，秦明朗就靠近她到一个非常暧昧的距离，还帮她戴上了项链。

　　摸着脖子上的项链，朱雨萌有些纳闷。

　　"跳舞吧。"秦明朗笑笑，一只手抓着她的手，一只手搂住她的腰，带着她在宽敞梦幻的舞厅翩翩起舞起来。

朱雨萌从未如此近距离地看过秦明朗，他身上独特的魄力还有魅力让她整个人显得有点晕晕乎乎，因为害羞，她忍不住低下了头。

"要想大家都对你投来羡慕的目光呢，就不要一直看着脚尖，而是抬起头来，看着我的眼睛，好像整个世界都在为你旋转一样。"说完，秦明朗抬起朱雨萌的下巴。

这样一个简单的动作，打乱了她心跳的频率，朱雨萌感觉自己快要被灼热给烤熟了。

看着秦明朗的眼睛，她感觉，似乎有一股很小的电流正一点一点地穿过自己的身体。

07 /CHAPTER

第七章

负责漂亮，是世界上最浪漫的话！

如果你想要知道的话，那我告诉你，我不介意你这样的撒娇，还要教你这样的撒娇……

01

当清晨的第一缕阳光将朱雨萌从美梦中唤醒的时候，她睁开迷蒙的双眼，首先看到的是在对面床上用一副鄙夷表情看着自己的尹小可。

朱雨萌调整了一下睡姿，然后用含糊的声音问道："尹小可，你为什么这样看着我？"

尹小可冷哼了一声，说："朱雨萌你知道你一大早做白日梦还在说梦话吗？"

"不可能吧？"朱雨萌有些讶异地捂住了自己的嘴巴。

尹小可从床上爬下来，走到了朱雨萌的床边，她一字一句地说："你想知道，你说了什么梦话吗？"

朱雨萌一开始点点头，后来看到尹小可不怀好意的模样，她又忍住好奇重重地摇了摇头。

如果是讲了什么丢脸的梦话，那应该还是不知道的为好……

"你真的不想听吗？你这梦话可是讲出了隐藏在你心里的秘密

哦？"尹小可表情有些奸诈，似乎是窥探到了什么不得了的秘密。

朱雨萌满脸涨红，经过昨天被楚子昀搞得心碎，又被秦明朗迷得云里雾里之后，她感觉自己的小心脏，实在是经受不了任何精神上的打击了。

"算了吧，我想我还是不要听了吧，肯定不是什么好事……"说完，朱雨萌就从床上爬了起来。

尹小可砸吧砸吧嘴，趿着拖鞋吧嗒吧嗒地跟在朱雨萌的身后："你越是不想听，我越是想跟你说。"

朱雨萌一边挤牙膏，一边摆出一副不情愿的样子："不要，不要，我不要听，我觉得我肯定没有讲什么梦话，一定是你瞎编的……"

尹小可本来就激不得，一听到这话，便什么也没想就添油加醋地将朱雨萌的梦话全部讲了出来："哼！我告诉你，你今天早上躺在床上，一边睡觉一边喊，大老板，大老板，有你真好，真的谢谢你……你知道吗？你连说梦话都是一副甜蜜的口气……"

"噗——"朱雨萌的漱口水全部都喷了出来，她感觉自己的脸颊已经热到可以煮熟鸡蛋了……

不是吧，竟然这么丢人，梦话里都提到大老板了……

只是昨天虽然大老板当众解救自己是挺帅的，可是，可是……

朱雨萌拧了拧眉头，她感觉自己都快要凌乱了。

"别皱眉头，一皱眉头就代表你心里承认，你对你那位高帅大长腿老板，是有非分之想的……"尹小可开始分析起来。

听到这话，朱雨萌吐掉口中的泡沫，有些心虚地争辩道："非你个大头鬼啊！我才不会对老板有什么非分之想呢！"

"是没有，还是不敢有啊！"尹小可开始反击。

朱雨萌感觉自己像是被人猜中心事一样有些闷气，她没再说话，胡乱地洗了一下脸。

"喂，问你呢！你应该庆幸，幸好苏梅梅那个大嘴巴，昨天去她小姨家睡了，不然要是被她听见，你可就死定了。"

朱雨萌没有理会尹小可，拿起包包丢下一句："不跟你说，我上班去了。"就离开了寝室。

在去公司的路上，一想起尹小可刚刚的话，朱雨萌就感觉自己的心里像是被猫爪抓过一样，无比的痒痒。

自己明明是对楚子昀有好感的啊！明明是喜欢像楚子昀那样温柔又温暖的男生……

怎么可能心里对大老板那样又冷漠，又霸道，又有点独裁的男生有好感呢？

朱雨萌不断地给自己的内心催眠，等到了咖啡店买好了早餐，她还在跟自己的情绪做着搏斗。

拿着热腾腾的早餐，朱雨萌刚转弯准备过马路的时候，在不远处看到了一个熟悉的身影——楚子昀。

想起昨天聚会跳舞结束以后，大老板就强硬地送自己回了宿舍，连再见也没有跟他说一声，朱雨萌就觉得有些过意不去，她准备追上去，跟他打个招呼，然后说句不好意思，却看到李美美蹦蹦跳跳地走到了他的身边。

李美美与楚子昀谈笑风生似乎挺是开心的样子，本来朱雨萌想要凑上去一起打个招呼，却没料在他们的谈话中听到了自己的名字。

"琳达昨天在微信群里面说，你带朱雨萌去了什么大学联谊聚会啊！"

"是呀，她刚好是我的小学妹，所以就约上她一起去了。"

"部长，你对朱雨萌果真是不一样啊，你不会对她有意思吧？"

听到李美美问出这样的话，朱雨萌感觉自己的心脏都要从喉咙里跳出来了，她的耳朵也似乎竖了起来，听力瞬间放大了很多倍。

正快速往前走的楚子昀听到这个问题，先是笑了两声，随后慢慢地说道："不要开玩笑了，我是不会喜欢她那样的女生的啦……"

听到这个答案，朱雨萌感觉自己的头像是被重物撞击了一下，嗡嗡地直响。

"为什么啊？她长得也算可爱啊……"李美美继续追问。

"像她那样的女生看起来似乎是无公害的，但是能够在进公司这么短的时间，就得到老板的信任，还取代了琳达的位置，一想就应该不简单。本来之前我都以为是她幸运吧，可有一次我们吃拉面，老板竟然让她过去帮忙喂狗，第二天问她，她还吞吞吐吐骗我。还有昨天，邀请她跳舞她又不跳，最后竟然把老板给叫过来一起跳舞。这样的女生，心机一定很深啦，我是不会喜欢的。只是看在她是我的学妹份上，所以才稍微礼貌地照顾一下……"

楚子昀的语气是那么的平淡，可他说出来的每一个字都刺向了朱雨萌的心，她一直以为，很多事情似乎不需要解释，只要自己努力做好该做的事情，楚子昀就能够知道，自己是怎么样的一种女生。

就是那种，全世界的人都不了解她，不理解她，甚至是误会，诋毁她，但是他依旧可以坚定地相信她……

可是现在看来，似乎不是这样的……

朱雨萌感觉自己的心脏有点痛痛的，鼻子也酸酸的，无数的委屈不断地聚集在胸口，视线也开始变得模糊，李美美和楚子昀的背影越来越远，越来越模糊，也越来越陌生……

02

经过了那个小插曲之后，朱雨萌拿着早餐坐到了路边公交站牌的座位上发了好久好久的呆。

看着一辆辆车经过她的眼前，她脑子里闪过的都是楚子昀说的那些话。

发呆的这段时间里，朱雨萌以为自己会难过得哭出来，可让她自己都没有料到的是，她没有哭，只是感觉到心里慢慢地变冷。

曾几何时，只要一想到那个名字，心里就会莫名的温暖，可现在，一想起来只是觉得陌生和冰凉。

一直坐到手中的早餐变冷，朱雨萌这才又一步步地朝着公司走去。

等到了公司，本来朱雨萌以为迎接自己的会是没有吃到早餐恐怖发火的大老板，却没想到刚走上旋转楼梯，就被几个女生给"绑架"了。

"哎呀，你们是谁啊？干什么呀？这是要干什么呀？"朱雨萌看着这些不认识的女生感觉到一阵恐慌，便大喊道。

可那些女生非但没有理会她，反而捂着她的嘴巴，将她带到了公司的休息室，并死死关上门，还拉上了窗帘。

看到如此的架势，朱雨萌就更加纳闷了，难不成是自己没有准时带早餐给大老板，所以就要受到现在这样的惩罚吗？

"这是什么情况？是要惩罚我还是要怎样？"朱雨萌露出一副欲哭无泪的表情。

"不是要惩罚你，而是要改造你。"这时，穿着正装的安琪从休息室的另一间走了出来。

看到安琪，朱雨萌这才松了一口气："安琪，这是干什么呢？她们都是谁啊？还有，什么叫改造我啊？我知道今天上班迟到是我不对，可是，可是，我是有我的理由的。公司要怎么惩罚我，我都认了，只要不开除我就行，我们学校毕业是必须要实习证明的……"

一想到或许因为早上的小失误，会拿不到实习证明，朱雨萌就有想死的心。

"放心，放心，不是要惩罚你，也不是要开除你。"安琪笑了笑，继续解释道，"这些女生是来改造你的，老板11点有一个酒会，需要一个女伴，女伴的人选就是你。但你也知道，出席酒会不能穿得太随便，还要化点淡妆，所以老板才叫她们来帮你。"

听到自己不用受罚，而是陪着老板去参加酒会，朱雨萌这才松了一口气。

"吓死我了，我还以为自己会被开除了呢……"朱雨萌有些心有余悸。

　　安琪笑笑从另外一边拉过一排挂好的衣服："这些都是为你准备的，待会儿看看哪件比较合适。"

　　看着那么多漂亮的闪闪发光的衣服，朱雨萌总感觉这个酒会并没有自己想象中那么简单，于是她试探性地问道："安琪，问你一下哦，这个酒会主要是干什么啊？打扮得这么漂亮是要干点什么呢？"

　　"不需要干什么，只要微笑微笑，然后不断替老板挡酒就好了。"

　　听到"挡酒"这两个字，朱雨萌就感觉一个头两个大了。

　　"可，可，可是我酒量不是很好啊……那可怎么办啊？"朱雨萌有些心虚。

　　"酒量不好那就要学会方法啊，比如说适当地回绝，不过一定要注意技巧，实在沉不住气了，就要跟老板说一下，记得，一定要千万记得，千万不能喝醉，不能闹出什么事情来，听到了吗？"安琪的表情变得有些严肃。

　　朱雨萌似懂非懂地点了点头，心里的压力顿时徒增了许多。

　　"10点半，司机小张会带你去到指定的地点哦，老板因为还有事情要谈，所以在那边跟你会合……"安琪继续嘱咐道。

　　朱雨萌看了看四周正准备为自己化妆的女生，整个人充满了不安和紧张。

　　她没想到自己不只是当秘书和生活助理这么简单，还是老板的挡酒神器。

　　这年头，当个秘书也真是不容易啊……

03

经过了一个小时的装扮，站在镜子前的朱雨萌已经有些认不出自己了。本来就水汪汪的眼睛，现在显得更加有神灵动，不高的鼻梁也在高光和阴影的修饰下显得高挺，还有扑闪扑闪的大睫毛以及粉红色的脸颊，此刻镜子里的她完全可以变身成为偶像剧里的平民女主角嘛……

"嗯，不错哦。"安琪也露出了欣赏和夸赞的神色，她看了看手表，然后催促道："快快，小张已经在下面等了，不要磨蹭了，赶紧出发吧！"说完就推着朱雨萌走出了办公室。

本来想说大家都应该在工作不会注意到自己，可等她没走两步，就发现大家都死死地盯着自己，并开始纷纷议论开了，更让她添堵的是，走过走廊的时候，看遇到了正端着咖啡的楚子昀。

"雨萌？"楚子昀看到如此打扮的朱雨萌，似乎有些不敢相信自己的眼睛。

朱雨萌本不想理会，可还是给了他一个尴尬的笑容，然后火速赶上安琪的脚步朝着停车场走去。

顺利跟司机小张会合之后，又在20分钟以后，顺利跟秦明朗在一栋豪华别墅前面会合了。

看着朱雨萌的打扮，秦明朗像是十分满意，他饶有兴趣地点点头："没想到打扮一下还是挺好看的嘛……"

得到秦明朗的夸赞，朱雨萌有些不好意思，她低下头忍不住用手拨弄了一下头发。

"走吧，待会儿进去的时候，如果觉得不知怎么接话，那么就不要接，脸上一直带着微笑就可以了。"说着秦明朗就一把搂过朱雨萌的肩膀带着她朝着酒会现场走去。

内心一直谨记着安琪的教导，朱雨萌看到路过的服务生端着香槟的时候，就伸手拿了一杯，她这样的举动让一旁的秦明朗为之一愣。

"怎么？看不出来，你还挺喜欢喝酒啊？"秦明朗问道。

朱雨萌害羞得连连摆手："不是，不是，老板，我过来不就是为了给你挡酒的吗？"说着她还指了指自己手上的酒杯。

听到这话，秦明朗的嘴角露出一抹大大的笑意，他轻轻地接过朱雨萌手中的香槟，然后换成了一杯葡萄汁："喏，这个才是你应该喝的。"

"葡萄汁？"朱雨萌有些纳闷地问道。

"嗯，你就喝葡萄汁就好了。"说到这里，秦明朗停顿了一下，然后搂着朱雨萌往左侧转了一下，他伸出手指了指放在左侧的自助餐，"这里有好多好吃的，你要是觉得无聊，可以去那边吃东西。"

听到自己可以拥有如此好的待遇，朱雨萌有些不敢相信："真的吗？我可以去吃，还不用喝酒？"

秦明朗点点头，嘴角露出一抹笑："嗯，可以吃，还不用喝酒，因为今天的你，就负责漂亮和开心就可以了……"

听到这句话，朱雨萌感觉自己的心，似乎很不乖地重重跳动了一下，她有些不确定地问道："真的吗？"

"真的。"秦明朗笑笑，然后肯定地点了点头。

　　见到有如此美的差事，朱雨萌的心里彻底乐开了花，而此刻站在她身边的秦明朗，在她的眼里也变得有些不一样起来……

　　好奇怪，为什么最近对大老板总会有种很不一样的感觉呢？

　　这种感觉以前似乎从来没有出现过……

　　朱雨萌感觉自己的心里像是吃了蜜似的，有着说不出来的甜。

　　接下来的时间里，朱雨萌跟在秦明朗的身后，跟不少的老总或者企业代表一一寒暄问候。也如同秦明朗说的那样，他似乎真的没有把她当成挡酒神器。

　　"没想到在这里都能见到熟人啊？"就在秦明朗、朱雨萌刚跟一个高大帅气的房地产老总聊完，两人在相视微笑的时候，一个声音从两人的身后响起。

　　王芯优穿着低胸的晚礼服，画着妖艳的浓妆挽着一个中年男人的手出现在了两人的面前。

　　秦明朗转过身，礼貌地跟那中年男人握起了手："李导演，你好你好。"

　　见到秦明朗这样，朱雨萌也连连弯腰问候："导演好，导演好。"

　　"我这一次的电影是跟李导演合作，今天是他邀请我来这个酒会的。"王芯优露出一副无比骄傲的表情，她冷冷地看了朱雨萌一眼，然后说道，"一个小秘书都能被带到这样的高级酒会的现场，看样子你对她的兴趣还在持续啊……"

　　秦明朗笑笑，继续搂住朱雨萌的肩膀，还亲昵地捏了捏她的脸颊："这么可爱可不光光是有兴趣这么简单。"

听到这话，朱雨萌的脸颊立马涨红一片，心脏也怦怦跳个不停，而王芯优则是气得鼻子眼睛就差拧在一起了。

"好了，不奉陪了，李导演祝你新电影顺利，王芯优是个好演员，相信你们一定能够合作出非常不错的作品。"说着秦明朗就扬起酒杯跟中年导演干了一杯，喝完后，他就拉着朱雨萌离开了。

等走到甜品区，看到朱雨萌眼睛里闪着的光，秦明朗的嘴角扬起一抹笑意："朱秘书啊……"

朱雨萌过了半晌才反应过来他是在叫自己，她赶忙将心思从甜品中收了回来："嗯？老板，有什么事吗？"

"你今天的任务完成得差不多了，你可以自由活动吃饱喝足了。"秦明朗指了指一边的甜品。

听到这样的指令，朱雨萌的眼睛里开始闪耀出明亮的光芒，语气也显得异常的兴奋："真的吗？我可以去吃了吗？"

秦明朗点了点头："去吧，就当是你今天认真工作的奖赏吧……得到允许之后，朱雨萌就头也没回地奔向了甜品区，这里有着数不清种类的各式甜点蛋糕，每一种似乎都在跟她招手问好。

掉进食物海洋的朱雨萌已经完全忘记了自己所在的场合，由于没有饮料，她只能拿着低浓度的果汁酒当成饮料来喝，一边喝着果汁酒，一边吃着美味的蛋糕，朱雨萌感觉人生所谓的完美，也不过如此了……

而一旁一边跟人交流，一边忍不住把视线放在正在大吃特吃的朱雨萌身上的秦明朗，嘴角自始至终都挂着无比甜蜜的微笑。

"你刚刚的话是什么意思？"在聊天的间隙，等秦明朗独处的时候，王芯优走到了他的身边。

秦明朗有些疑惑："什么话是什么意思？"

王芯优的样子看起来有些哀伤和挫败："刚刚说，我是一个好演员，这句话是什么意思？是要表现出，自己是一个合格又大方的前男友吗？还是觉得心里对我还有那么一点点感情呢？"

秦明朗轻轻一笑："我觉得你是一个好演员，不代表我心里对你还有感情，你对于工作的积极进取我还是能够看见的。"

"既然能够看见，那么为什么就不能再重新喜欢上我了呢？如果可以的话，我可以变成你喜欢的样子，秦明朗，这个你是知道的吧？"王芯优几乎是在用最卑微的哀求方式。

"你没有必要这样，过去就过去了。"秦明朗拧了一下眉头，似乎对于这样的话题感觉到了一些不耐烦。

"像我这样的，漂亮有身材，还有一定的社会地位，被大家追捧和喜爱着，怎么会比不上像那样的？"王芯优说完伸手指向一旁吃得正欢快的朱雨萌。

"在别人心中，你一定比她好，可在我心里，她比任何人都要好。不需要改变，也不需要伪装，我就是喜欢像这个样子的她。"说完，秦明朗继续用充满爱意的眼神盯着朱雨萌的身影。

看到秦明朗如此的表情，王芯优脸上的挫败感越来越重，她轻轻冷哼一声："看来你这一次是真的动了真情，以前你可没有用这样的眼神看过我，连在一起，都不是因为喜欢，而是不讨厌，对吧？"

秦明朗没有说话，淡淡地抿了一口酒，然后笑了一下，就转身走掉了。

王芯优看着那身影，眼睛里滑出一滴眼泪。

其实最开始交往之初，她也不是因为喜欢秦明朗而是因为不讨厌所以选择了在一起……

可在一起之后，她就莫名其妙地越来越喜欢秦明朗……

没想到最后，她竟然会输给那样一个平凡得不能再平凡的女生？

看着那个正在大吃的身影，王芯优感觉心里有点闷闷的，她叫过一旁的服务生："把甜品区的果汁酒全部换成度数高的香槟酒。"

服务生听到这个要求，表情有些为难："这，这，这不太好吧……"

"没有什么不好，你不照做，我就让你真的不好……"说着王芯优露出一副凶狠的表情。

服务生被这样的表情惊得一身冷汗，他连连点头："好的，好的，王小姐。"

得到了肯定的答案，王芯优这才露出了满意的表情，她用力地喝了一口酒，然后一扭一扭地走进人群里。

04

朱雨萌做了一个梦，梦里自己变成了一只猪，在广袤的森林里，她先是掉进了一只狡猾的狐狸设置的陷阱，在怎么都逃不出来的时候，那只老虎对她发出了虎视眈眈的光。本以为老虎是想要吃了自己，可怎么也没有想到的是，这只老虎非但救了自己，还带离她逃离了黑暗。

而这只老虎的原型竟然就是大老板秦明朗……

等她从睡梦中醒来，首先感觉到的是手心一阵湿润，随后一只棕色泰迪狗狗出现在了她的面前。

朱雨萌睁开迷蒙的双眼，眼前这只小狗也越来越清晰起来，怎么回事，这只狗怎么感觉那么的熟悉？好像在哪里见过似的……

正当朱雨萌有些纳闷的时候，眼前的其他景象让她再次吃了一惊。

自己睡在一张无比宽敞的床上，而四周的装饰更是豪华得无与伦比。

这里是哪里？

朱雨萌坐起身揉了揉发疼的脑袋，那只棕色的泰迪小狗也随之跳上了床，对她热情又有爱地摇起了尾巴。

她清楚地记得，昨天自己是经过打扮整修被送去和秦明朗一起参加酒会，在寒暄之后，她就落入了甜品的海洋，然后，然后，她就彻底没有记忆了……

想到这里，朱雨萌禁不住一阵冷汗，她的视线瞟向了一旁的小狗，这只小狗似乎跟自己很是熟悉的样子……

啊……

这该不会是小番茄吧？

天啊！自己现在是在大老板的家里吗？

这样的想法让朱雨萌有些惶恐，她转过身，看着那只狗狗，然后试探性地叫了一声："小番茄……"

然后让朱雨萌崩溃的事情发生了，泰迪狗听到这个名字，无比热情地摇了摇尾巴……

看来，自己确实是在大老板的家里了……

朱雨萌有些恐惧地检查了一下自己，妆已经卸掉了，衣服也换成了睡衣……

天啊……不会发生了一点什么吧……

朱雨萌捧着脸，有些欲哭无泪，她感觉自己以后再也没有办法好好面对秦明朗了……

"小番茄……"这时，秦明朗的声音从房间的外面传来。

听到这个声音，朱雨萌一边想要立马装睡，一边又想立马起床逃掉，可由于没有想好到底用哪一种解决方案，所以当秦明朗推门而入的时候，她处于半坐半立的尴尬姿势。

"哦，你醒了啊……"秦明朗似乎对于眼前的状况一点都不觉得奇怪，他淡淡地说道。

朱雨萌揉了揉头发："是，是呀，大，大老板……"

她其实很想问秦明朗，自己昨天和他有没有发生点什么，可内心的纠结，让她根本不知道如何问出口。

"醒了就下来吃早餐吧，小番茄，过来，你也要吃早餐了哦！"说完，秦明朗就走到床边将小番茄一把抱起。

看着秦明朗转身准备离开，朱雨萌鼓起勇气叫住了他："等，等一下，我有事情想要问个明白。"

秦明朗回过身："什么事？"

"我，我的衣服，衣服在哪里？还有，是谁给我换的睡衣。"问完这个问题，朱雨萌直接想要不停地大喘气。

看到朱雨萌无比紧张的样子，秦明朗的嘴角扬起一抹坏坏的笑容，他前进了一步，然后用无所谓的口吻说道："如果我跟你说，昨天你喝醉了，然后是我给你换的衣服，那怎么样？"

听到这个答案，朱雨萌感觉自己浑身像是被火烤过一样，她用力地深呼吸一口气，整个人也变得有些晕晕乎乎起来，过了一会儿这才说道："如，如果是你的话，那，那我们以后……你，你，怎么可以……"

看着朱雨萌语无伦次的样子，秦明朗大笑了一声，这才说出了实情："放心吧，衣服是张姨帮你换的，她已经帮你洗好了，等我下去就让她拿上来给你。"说着他就大步踏出了房间的门。

听见是张姨帮自己换的衣服，朱雨萌这才舒了一口气，她坐在床上开始一点点地平静自己的心情。

"朱小姐，你的衣服已经清洗干净了。"不过一会儿张姨就拿着衣服站在房间的外面。

等张姨走进来，朱雨萌接过衣服，一脸的感谢："张姨谢谢你啊，真是不好意思，昨天真是麻烦你了，又要帮我换衣服，还要帮我卸妆……"

张姨听到这话，表情有些疑惑："朱小姐，您的衣服是我换的，也是我送去干洗的，但是妆不是我卸的哦，我可不会卸什么妆啊……"

朱雨萌拿着衣服站在原地有些愣神，张姨没有帮自己卸妆，那自己脸上的那些粉底还有假睫毛都是怎么消失的啊？

想了两秒钟，朱雨萌就放弃了，反正秦明朗的家这么大，不是张姨
指不定是别的用人帮自己的……

　　"朱小姐，你换好衣服就下来吃早餐吧，我先下去了。"说着张姨
转身准备离开了。

　　"等一下，张姨。"昨天不知道为什么喝多而失忆，朱雨萌的脑子
里有很多的疑惑，"张姨，昨天老板把我带回来，我是一个什么样的状
态啊？"

　　张姨听到这个问题，脸上带了一丝笑意："昨天老板将朱小姐带回
家，您一边大声说，干了这杯酒，以后就是好朋友，一边吐了老板一
身……"

　　听到这话，朱雨萌感觉一朵乌云笼罩在自己的头顶……

　　她竟然做出这样的行为，这下不被开除，也不会有好果子吃了……

　　等张姨走出房间，朱雨萌整个人瘫倒在了床上。

　　而就在此刻，秦明朗一边喝着牛奶，一边想起昨天手忙脚乱地打电
话问安琪如何卸妆的画面。

　　看来以后像酒会这样的地方，不能带那个家伙去了……

　　秦明朗的心里得出了这样一个结论。

05

　　朱雨萌换好衣服后，走下了长长的旋转楼梯。在楼下她看到秦明朗
正在吃早餐。此时，她想起自己昨天晚上的行为，就恨不得找个地洞钻
进去。

为了表达自己的懊悔之意，朱雨萌决定主动承认错误，准备接受下放或者降薪的惩罚。

"老，老板，昨天的事情，真是不好意思，我没有想到自己会喝那么多，我明明记得我喝的都是果汁酒没有什么度数的，可后来不知道为什么，都变成有度数的了，所以，所以才会喝多，我知道自己自从当了你的秘书之后，给你带来了不少的麻烦，我既不能挡酒，还让自己喝得烂醉，确实是一件很严重的事情，所以……"说到这里，朱雨萌深呼吸一口气紧接着说道，"所以，老板你如果想要降我的职，或者扣我的薪水，我是不会有任何的抱怨的。"

听到朱雨萌诚挚的道歉和反省，秦明朗笑笑，他慢条斯理地说道："看样子你的态度还摆得挺端正啊……话说，你昨天喝醉酒，有说醉话哦，说什么大老板是大老虎之类的哦……"

朱雨萌感觉到自己的后背已经是一片冷汗，她突然感觉，人有时候还是不要知道太多比较好……

"老板，我知道昨天都是我的错，我也深知自己是没有办法继续当你秘书这个角色了，我总是闯祸，如果可以的话，你还是把琳达调回来吧，她比我更加适合这份工作……"朱雨萌说完这段话感觉自己都快要哭出来了。

本来以为，如果主动辞掉老板秘书这个职位，自己一定会觉得非常的解脱……

可是这样当面说出来，她的心里却觉得一点都不好受，那感觉似乎比让自己永远都不吃肉，不吃冰激凌还要来得难受……

看样子，她似乎是喜欢上老板了……

不，是喜欢上当老板的秘书了……

"你真的想要我把琳达调回来吗？"秦明朗看着朱雨萌略带悲伤的脸颊，心里的暗爽一点点变大，他故意问道。

朱雨萌低着头，看着自己的脚指头尖，整个人不情愿和哀伤极了："我总给你添麻烦，所以，不管你最终的决定是什么，我都不会说什么的……"秦明朗喝了一口牛奶，嘴角的笑意也越来越大，他继续说道："那你怎么不问问我，对于我而言，你是不是一个麻烦呢？"

朱雨萌抬起头看着一脸笑意的秦明朗，脑子里浑浑浊浊一片。

大老板这话里是什么意思？

什么叫自己对他而言是不是一个麻烦？

朱雨萌的单核处理器脑子，对于这样一个话中有话的问题，有些反应不过来。

"如果你想要知道的话，那我告诉你，我不介意你这样的麻烦，还喜欢你这样的麻烦……"秦明朗说道。

"怦！怦……"朱雨萌感觉自己的心跳又一次脱离了正常的频率……老板刚刚话里的意思是，他喜欢自己这样的麻烦？

那意思也就是，他不但不介意自己所制造的麻烦……

反而，反而，他还喜欢这些麻烦……

甚至，甚至是，他还有点喜欢自己……

朱雨萌感觉这些想法把她整个人一下子面临了人生最复杂的问题……

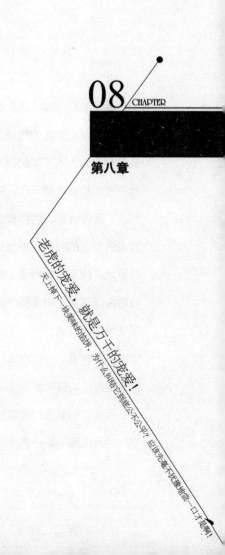

08 CHAPTER

第八章

老虎的宠爱，就是万千的宠爱！

天上掉下一块美味的馅饼，为什么纠结它到底公不公平？

应该先考虑不被噎地吃一口才是嘛！

01

秦明朗那一句"就是喜欢这样的麻烦"，让朱雨萌辗转反侧了好几天。之所以会如此的纠结，是因为那一天说了这句话之后，秦明朗就像是没有什么大不了似的招呼她一起吃饭，然后一起上班。而接下来的几天，也都是跟之前一样，每天早上给他带早餐，做工作。

"我告诉你，这件事情之所以发展成现在这样，都是你的错，他当时说那句话的时候，你就应该要回应点什么，可你呢，你只是傻傻地站在原地，像是没有听懂一样……"此刻正值中午，阳光刺眼地从巨大的玻璃窗照进满是咖啡香气的咖啡店，尹小可坐在朱雨萌的对面，煞有其事地帮她分析道。

朱雨萌喝了一口西瓜汁，对尹小可说的这种可能陷入了思考。

是自己的错吗？

可是，如果当时就需要回应的话，她应该说点什么呢？

"我说猪啊，你到底想不想弄清自己对那位大老板的感情呢？"尹小可见朱雨萌还是一副迷茫的样子，便摆出了爱情专家的派头。

朱雨萌连连点头。

"你如果想要弄清楚的话，那我们就来进行快问快答，怎么样？"

"快问快答？"朱雨萌表示有些怀疑。

"是呀，快问快答不允许有一点点的思考时间，所以最能够测试出人心里真正的想法，怎么样，要不要试一试？"

"真的吗？"朱雨萌半信半疑地点了点头，"那好吧！"

尹小可见朱雨萌同意，便搬着凳子朝朱雨萌靠了靠，"那好，那你准备好啊，我们现在就开始啊！"

"第一个问题，你现在对那位楚子昀是什么样的感觉？"

"同事。"

"一点喜欢都没有了吗？"

"一点都没有。"

"第二个问题，如果我和你的大老板一起掉进水里，你先救谁？"

"我，我一个都不救，因为我不会游泳。"

"那这几天，你会不会不时地想念你的大老板，比如说什么午夜梦回啊，比如说什么孤单寂寞冷的时候啦……"

这个问题让朱雨萌害羞了一下，她脸颊通红，一时不知道该如何作答。

"快说啊，不能犹豫！"尹小可催促道。

"嗯，有想念……"

听到这个答案，尹小可露出了满足的笑容，这时她看到一个熟悉的身影回过头朝着朱雨萌走来，便露出一副狡黠的笑容，音量略带提高地说道："那对于那个大老板，你有没有曾经心动的一瞬间？"

朱雨萌摸了摸自己的胸口，想起那天跳舞，还有那次酒会，她又一次有些害羞地点了点头。

"那如果再给你选择一次的机会，你还会不会选择当你们大老板的秘书？"

"嗯，会愿意继续当他的秘书。"

"那好，最后一个问题，你是不喜欢你们大老板，还是不敢喜欢你们大老板……"

朱雨萌彻底被问住了，她支支吾吾不知道该怎么回答："我，我，我……"

"别我了，这么吞吞吐吐我知道答案了。"说着尹小可冲朱雨萌调皮地眨了眨眼睛。

"你知道了？"朱雨萌有些不敢相信。

尹小可伸出手指了指朱雨萌的身后："你向后转。"

朱雨萌跟随指令往后转，然后立马惊讶地捂住了嘴巴。

秦明朗竟然站在她的身后！

"大，大，大老板……"朱雨萌羞红了脸，声音有些颤抖，想着刚刚尹小可的表现，敢情那妮子是知道秦明朗站在自己的身后？

那么，那么自己刚刚回答的问题岂不是都被他听见了？

天啊，朱雨萌哀叹一声，只想找个地洞赶紧钻进去。

"朱雨萌，上班时间快到了，跟我一起回公司吧！"秦明朗忍住脸上灿烂的笑容，换上平时严肃冰冷的样子冲朱雨萌说道。

朱雨萌立马拿起包包，狠狠地瞪了尹小可一眼，然后就跟着秦明朗转身一起走出去。

在走出咖啡店的时候，秦明朗冲坐在咖啡店里的尹小可表示谢谢地笑了一下。

被秦明朗一个微笑彻底迷晕的尹小可露出了花痴的表情。

这是典型言情小说里的男主角啊！

既冰冷又温暖，既霸道又有着独一无二只针对于朱雨萌的温柔……

看着两人渐行渐远的背影，尹小可做了一个重要的决定——那就是，她以后不要看言情小说了，她要把属于这两个人的故事写下来……

02

这边跟随着秦明朗一同上了电梯的朱雨萌心里早就乱成了一团麻，她呼吸着电梯里的稀薄空气，生怕秦明朗提及刚刚咖啡店的事情。

可这个世界就是，你越不想什么，什么就越找上你。

到了五楼的时候，电梯里还是只有他们两人，秦明朗转过头看着一脸紧张的朱雨萌，觉得真是好笑和好玩极了，为了再逗逗她，秦明朗清了清嗓子说道："刚刚在咖啡店里……"

说了一半，他就停住不说了。

这样只说了一半的话让朱雨萌更加的焦虑，她看着秦明朗迫切地问道："咖啡店里什么？"

"哦，没什么，刚刚在咖啡店里看到早餐是有套餐的，难怪你每天早上都会给我加一个德国热狗。"

听到这话朱雨萌这才松了一口气："是呀，因为看到有划算的套餐，所以才每次加上个热狗，才算是套餐的。"

秦明朗表示理解地瘪了瘪嘴，继续说道："嗯，刚刚你跟你朋友在说什么啊？"

看样子果真逃不过了，朱雨萌便硬着头皮回答道："呵呵，没，没有什么，就随便聊一下而已，说说最近的天气，最近的心情什么的……"

见她还是嘴硬，秦明朗索性直接说了："不是吧，我刚刚听到你们在说，什么喜欢之类的，而且讨论的主角好像是我吧？"

朱雨萌感觉自己的心里像是引爆了一颗原子弹，她的腿有点软，头有点重，嘴巴也变得有点不利索："我，我，我们，我们不是，我，我们好像没有说什么，喜欢啊，有吗？有说什么，喜欢吗？"

见朱雨萌这副模样，秦明朗没有再隐藏自己的情绪，他冷冷地说道："哦，那你的意思是，是我听错了？"

"不是，不是你听错了，是……是……"朱雨萌感觉自己有种百口难辩的感觉。

而她越是慌乱，一旁的秦明朗越是得意："我刚刚听到，你好像说，最近会想起我，是吧？还默认不是不喜欢我，而是不敢喜欢我，是吧？"

又一次的质问让朱雨萌彻底慌了神，她脸颊涨得通红，完全不知道该如何回应。

"看你这么沉默的样子，那意思就是默认了？"秦明朗丝毫没有想要放过朱雨萌的意思。

朱雨萌感觉整个电梯里的空气越来越稀薄，她几乎无法呼吸了。

"不，不，不是默认，那，那个都是开玩笑，随便乱说的……"朱雨萌此刻只想要有个人出来救她，不管是谁。

可让人焦灼的是，不管她内心如何呼喊也没有任何一个人上电梯来打破这尴尬的气氛。

"如果是不敢喜欢我的话，那就证明心里还是喜欢我的？"

朱雨萌低着头，面对如此直白的问题，她实在是不知道该如何回应了，对于她而言，此刻的秦明朗就是如同一只凶神恶煞的狮子一般的存在。

"怎么？是准备不回答我这个问题吗？"秦明朗弯下身一点点地靠近朱雨萌。

随着距离越来越近，朱雨萌感觉自己就快要不能呼吸了："回，回答什么？"

"回答是不是心里有点喜欢我啊？"秦明朗的笑显得越来越冷，让人有种不寒而栗的感觉。

"我，我，我……"朱雨萌继续吞吞吐吐。

秦明朗又靠近了朱雨萌一点，语气依旧带着挑逗的味道："再不说，我可是要扣你的工资了哦！如果扣工资还不够的话，那么就扣月度奖金，或者年终奖金吧？"

听着所有的钱都会被扣，朱雨萌紧张得赶紧抬起了头。

可让她没有想到的是，这样近的距离，她一抬头，嘴唇刚好就贴在了秦明朗的嘴唇上，等于来了一个"意外接吻"。

而更加戏剧化的是，在两人嘴唇碰在一起的时候，电梯门打开了，站在电梯门口的琳达还有楚子昀看到了这么意外的一幕。

朱雨萌反应过来之后，整个人赶紧退后了一步。她怀揣着一颗剧烈跳动的心，带着一张涨得通红的脸，赶忙逃离出了电梯。

"老，老板……"站在电梯外的琳达有些尴尬地冲秦明朗问好。

秦明朗的脸上露出了异常满足的喜悦，他摸了摸嘴唇，冲琳达微微一笑："中午好。"便走出了电梯。

琳达见到秦明朗的笑容，整个人愣在了原地，要知道她跟着他的两年里，他可从来没有过这样灿烂的笑容……

比起一副震惊模样的琳达，一旁的楚子昀的脸色可以用包公的黑脸来形容。只见他眉头紧紧皱着，手掌也攒成了拳头，似乎很是不满的样子。

短短的几分钟，让所有原本压抑着的小情感，得到了剧烈的改变……

03

八卦的威力是十分巨大的，秦明朗和朱雨萌在电梯里接吻的事情，有了琳达这个好的八卦传播器，在一个小时内就传遍了公司每一个角落。

朱雨萌不管是复印文件，还是倒咖啡又或者是上个厕所，都感觉得到同事们对自己不一样的目光，更甚至的是，连打扫卫生的阿姨，似乎都已经知道了这件事情。

面对如此快速的传播速度，朱雨萌也只能默默忍受了，可让她困扰的是，只要一坐下来，坐在对面的苏梅梅就会对她投来疑惑和猜测的目光，并逼问她各种事情的细节。

不想要解释更加不知道如何解释的朱雨萌，只能采取鸵鸟战术——假装什么都没有发生过。

当她再一次坐下身，苏梅梅充满八卦的目光又一次投来的时候，她拿起了资料朝着楼下走去。本来这些资料明天给楚子昀都可以的，可是为了逃脱逼问，她只有选择立马来送了。

走到曾经熟悉的部门门口，本以为大家会以热情友好的态度迎接，可没想到的是，一进门陈辰就用一脸鄙夷和不友好的表情冷冷地看了她一眼，并说了一句："飞到老板怀抱里的凤凰，现在是要下来视察的意思吗？如果看到我们在偷懒，会不会立马转身上去跟老板打小报告啊……"

听到这句话，朱雨萌的心情一下子灰暗了下来，她左右看了几眼，这才发现楚子昀此刻并没有在办公室。

"是呀，现在正得老板宠爱，可不知道几个星期后，还能不能像现在这样哦……"坐在椅子上正忙着照镜子的琳达也开启了冷嘲热讽模式。

这个时候，一旁的李美美热情地朝着朱雨萌迎了上来："雨萌，你不要听她们乱说，她们那是嫉妒。"

终于得到了一丝善意和友好，朱雨萌的心里这才丢开了一些沮丧。

"不过，我真的很想问问你，你跟老板接吻，到底是谁主动啊？"说到这里，李美美又补充了一句，"不过这种事情一般而言应该是男生主动吧？"

朱雨萌不知道如何回应，那个吻只是一个意外，如果非要纠结是谁主动的，那么确切地讲应该是自己主动吧？

毕竟是自己迎上去的啊，如果不是高度刚好，如果不是自己刚好抬起头……

朱雨萌的额头开始冒出冷汗，整个人也变得有些焦灼不安，看到她这副模样，李美美的表情变得有些奇怪，脸上的表情也由八卦变成了鄙夷："不是吧，看你这个样子，那个吻难不成还是你主动的啊？天啊！朱雨萌啊朱雨萌，我还以为你只是有点小小的心计，可没有想到，你的心计会如此的重啊……我就说，老板怎么会那么多漂亮的女明星、有气质的富二代不要，偏偏选了你这么一个平凡的女生，搞到最后，都是你自己主动投怀送抱啊……"

"这个问题想也可以想得到啦！如果不是她主动，老板怎么可能看得上她哦，我告诉你，再过一个星期，你倒是看看，老板还会不会这样，朱雨萌我告诉你，不是灰姑娘的命，就不要做灰姑娘的梦……"琳达也开始语气尖锐地说道。

一旁的陈辰等两人说完，也开始用阴阳怪气的语调说道："我早就告诉你们了，这个女生不简单，你们还不相信我，现在看来所有的一切都是她自己一手策划的。先是来面试的时候，主动跟老板搭话留下好印象，然后再利用每次送资料跟老板培养感情，最后挤走琳达，自己一步步替代并俘获老板的心……"

一句句刺耳的议论让朱雨萌的脸色越来越难看，她转身准备离开这个充满利刺的地方，恰巧的是，她刚转过身就看到站在自己身后的楚子昀。

原来刚刚大家说的一切，他都听在了耳朵里。

朱雨萌拿着资料想要递给楚子昀，可还没等她伸出手，楚子昀就愤愤地看了她一眼，然后大步走出了办公室。

这是个什么情况？自己专程下来送资料的，难不成白跑一趟？

想到这里，朱雨萌跟了上去。

楚子昀走到了休息室，并拿起一次性的杯子准备泡咖啡，看着他并不是很熟练的样子，朱雨萌放下资料，走到他的面前，主动帮他泡好了咖啡。

"如果想要咖啡好喝的话，记得不要加太热的水，还要用勺子顺时针慢慢地搅动。"朱雨萌将咖啡杯递到了楚子昀的手里。

楚子昀端着咖啡杯，脸色还是很臭的样子。

"这是完美手游的资料，里面有他们之前的广告范本，还有国外推广手游的参考资料，这是老板让我交给你们参考用的。"朱雨萌将资料交到了楚子昀的手上，等他接过之后，她就转身离开了。

"朱雨萌，我以为你不是她们说的那样的女生……"朱雨萌刚走到门边，就听到楚子昀的声音。

她转过头看着楚子昀一脸的愕然和疑惑："嗯？"

"最开始见到你，我以为你是纯真的，没有心机的，后来听到了你那么多的流言蜚语，我想或许你不是我所看见的那样，我也会想，你或许真的如她们说的那样，是一个有心计有预谋的女生，可是到今天，我才能确定，你果真是那样的一个女生。"

楚子昀的话让朱雨萌感觉到有点好笑，她重新走回休息室，胸口腾起了从未有过的勇气，她一字一句地说道："是呀，因为觉得我有野心，有心计，没有那么简单，所以永远都不可能喜欢像我这样的女生，是吧？"

朱雨萌的话让楚子昀有些愣神，他的表情变得不敢相信，声音也变得吞吞吐吐："你，你，你听到了？那天的话，你都听到了？"

朱雨萌没有回答他的问题，而是深呼吸一口气说道："其实很久之前，我也以为，你跟别的人不一样，在别人都以为我是什么样的人的时候，你可以相信我，可以支持我，我也曾经以为你不会因为那些表面的事情去评价我，中伤我，以为在别人这样对我的时候，你能够站在我的这一边，可后来我知道了，你跟别人一样，在你的心里我是那么的有心计，那么的不择手段，那么的不堪……"说到最后，朱雨萌的声音显得有些哀伤。

楚子昀听到这话，脸部的表情抽动了几下，他开始无言以对。

朱雨萌叹了一口气转身准备离开，可走了两步她又猛地回过头冲楚子昀说道："你知道吗？我曾经喜欢过你。喜欢你总是温暖的微笑，喜欢你为我鼓励加油，喜欢你总是那么温柔的样子。可是，我现在知道了，那样的喜欢只是很单纯很单纯的迷恋，这样的迷恋是因为不了解，有神秘感。可当一靠近，了解了之后神秘感就消失了，我也就不迷恋你了……"

等话说完，朱雨萌的背影消失在了休息室的时候，楚子昀有些颓唐地坐在了椅子上。

似乎有什么很纯真美好的东西，被他给错过了……

04

等朱雨萌从休息室走出来，就看到正靠在外墙上的秦明朗。

朱雨萌感觉自己的嘴唇都被吓得开始颤抖，看现在这个样子，刚刚自己所说的话，大老板都听到了？

本来不是什么很大的事情，可朱雨萌心里竟然冒出，一点也不想要让大老板误会这样的想法。

"大，大，大老板……"朱雨萌的语气开始颤抖。

秦明朗冷冷地看了朱雨萌一眼，掉头就走了。

看着他似乎很生气的样子，朱雨萌带着忐忑和恐惧的心情立马跟了上去，一边走一边慌乱地问道："老板，刚刚我说的话，你都听见了吗？"

秦明朗没有停下脚步，他点了点头，然后开始偷偷用余光观察起朱雨萌的表情。

不知道自己已经掉入圈套的朱雨萌整个人开始有些凌乱，她一边努力跟上秦明朗的脚步，一边极力地解释道："老板，老板，刚刚的话，真的不是你想的那个样子，我说的那些话，你可千万不要多想啊……"

面对这样的解释，秦明朗丝毫没有动摇，继续迈着步子朝着自己的办公室走去。

朱雨萌挠了挠脑袋，怎么也想不出如何解释刚刚的一切，跟着秦明朗上了楼，并进了他的办公室，她整个人还是处于手足无措的状态。

"老板，我刚刚说的话呢，其实也算是我的心声，可是，那都是以前的事情了，我现在心里真的没有那样想，现在看到楚子昀部长，心里一点点心跳和喜欢的心情都没有了，其实我也不知道是从什么时候开始不喜欢的，但我可以肯定的是，我现在心里真的一点都不喜欢他了。"朱雨萌解释了一堆之后，还附加了一个保证的表情。

秦明朗坐在椅子上，斜眼看了一下朱雨萌。其实他心里并没有生气，刚刚朱雨萌说的话，也都是说曾经。既然是过去的事情，他也没有必要生气或者追究。现在，他之所以装作是生气的模样，只是想要看看在朱雨萌心里，自己到底是个什么样的位置。

"哦？是吗？"秦明朗露出有些怀疑的表情，然后淡淡地回应了一下。

见到他似乎是不相信自己说的话，朱雨萌一下子就急了，她走到秦明朗的面前，继续解释道："真的啦，我现在对楚子昀部长真的一点感觉都没有了，现在看到他，跟看见李美美啊、陈辰啊、琳达啊、苏梅梅的感觉都是一样的，就是非常非常平淡的同事。"

"那你倒是说说，你最开始是喜欢他的什么啊？"秦明朗抬起头开始质问起来。

"喜欢什么？"被要求回答这样的问题，朱雨萌显得有些为难，可她又怕自己如果不回答老板会生气，在想了一阵子之后，她这才缓缓开了口，"一开始是被他身上那种温柔又温暖的气质吸引，觉得他的笑容总是可以给人鼓励的感觉，喜欢他会为我加油，喜欢他总是很细心很周到，觉得……"

"好了，够了。"还没等朱雨萌继续说完，秦明朗就打断了她的话。

见自己即便是已经乖乖回答了，老板的心情似乎还是没有因此变好，朱雨萌感觉有些无奈。

"如果你说的是真的，那么现在的你，对于楚子昀是一点感情都没有了？"秦明朗站起身，一点点靠近朱雨萌然后问道。

朱雨萌被秦明朗突如其来的举动给吓到，慌乱地点了点头。

"那你现在有喜欢的人吗？"秦明朗开启了逼问模式。

朱雨萌轻轻地开启了一下嘴唇，却不知道该如何回应，便又一次闭上了嘴。

"要认真回答我的问题哦，不然我可会……"说着秦明朗弯下身，整张脸朝着朱雨萌靠近。

朱雨萌的脸羞红成了一颗番茄，她捂住嘴巴，心脏开始毫无规则地跳动起来。

"不回答就代表你现在没有喜欢的人？"秦明朗的嘴角扬起一抹异常邪恶狡猾的微笑。

朱雨萌不敢看秦明朗的眼睛，这样的问题要怎么回答啊？说没呢？还是说有呢？如果说有的话，大老板岂不是要逼着自己当面表白？

可是，可是，她自己对这样的感情似乎还没有怎么确定……

思考了再三，朱雨萌还是决定轻轻地摇了摇头："没，没，没有喜欢的人……"

听到这样的答案，秦明朗似乎也是一副不在乎和不介意的样子，他狡黠一笑，然后一字一句地说道："没有的话，那你现在可以有了。"

听到如此霸道强势的要求，朱雨萌有些埋怨地嘟起嘴，然后抬起了头。

本来她只是想要跟秦明朗好好争辩争辩的，可没有想到的是，在电梯里发生的那一幕又重新上演。

当她刚刚抬起头，她的嘴唇就跟秦明朗的嘴唇碰在了一起……

怎么每次都是这么刚好的距离？怎么会有一股强烈的电流通过嘴唇通向自己的全身。还有怎么会那么地喜欢这样的感觉，似乎一点都没有讨厌的感觉……

朱雨萌在自己意识快要彻底没有之前，果断退后了一步。她顶着红彤彤的脸颊，看着秦明朗说道："老，老，老板，我先去做事了。"

说完，她便火速地逃离了办公室。

走出办公室的时候，朱雨萌懊恼地捶胸顿足……为什么自己总会犯这样的错误？为什么两次亲吻都在自己如此主动的情况下发生？

还有，为什么跟大老板接吻，她会如此地心动……更甚至，即便是有懊恼，却依然有甜蜜的气氛？

比起拥有如此复杂情绪的朱雨萌，此刻在办公室饶有兴趣抚摸着自己嘴唇的秦明朗则显得开心了许多。

他一边回味着刚刚的那个吻，一边忍不住扬起大大的笑意……

这只猪，似乎已经掉进自己的怀抱里了……

05

这是第一次朱雨萌做有关秦明朗的梦，不再是恐怖的噩梦，而是充满粉红色浪漫气息的唯美梦境。

在梦里她是一只粉红色的小猪，在满是绿色的葱郁森林里自由欢快地奔跑，而在她的身后，是带着微笑的老虎，有了老虎的陪伴，狐狸还有狼都不敢靠近。它们相互依偎，看着夕阳一点点地下山，时间似乎也在这一刻停止了。

从这样的美梦中醒来，朱雨萌的嘴角还带着一抹挥之不去的幸福笑容。可当她看到离上班时间已经只有半小时了，笑容便立马被惊慌取代。

"啊，我迟到了，我迟到了！"朱雨萌猛地从床上跳了起来，并以最快的速度冲到了洗漱间。让她没有料到的是，一向习惯早起的苏梅梅竟然正在洗脸。

"梅梅？你怎么还在寝室，你也迟到了吗？"朱雨萌睁大眼睛，一副不可思议的样子。

苏梅梅斜睨了朱雨萌一眼，有些不耐烦地说道："朱雨萌你是猪脑子哦！你不记得昨天下班的时候，老板心情大好，宣布今天可以晚一小时上班吗？"

听到这话，朱雨萌努力回忆起昨天的事情，可奇怪的是，记忆一直停留在那个亲吻上，别的记忆都变得异常的模糊。

似乎是因为跟老板的接吻让她紧张过度，所以一下午都在云里雾里度过，根本没有在意别的事情。

"别回忆了，你昨天下午整个人都魂不守舍的，估计是没有听进去……"苏梅梅见朱雨萌努力思索的样子，便开始泼冷水道。

朱雨萌挠了挠脑袋，不好意思地笑了笑："真的是不记得了，谢谢你呀，如果你不提醒我，我可能就会急急忙忙赶去公司了。"

"不用谢，待会儿请我吃早餐就好了。"说完苏梅梅就将毛巾搭好，趾高气扬地走了。

由于不用赶着去公司了，朱雨萌的动作开始变得慢条斯理起来，刷着牙还因为想起昨天的事情，忍不住露出笑意，洗脸的时候，也忍不住哼起了小曲。

"啊——"刚刚洗完脸，就听到寝室里的苏梅梅传来声嘶力竭的喊叫。

紧接而来的是尹小可的咆哮："苏梅梅你疯了，一大早吵什么吵，不知道人家睡得正香吗？"

朱雨萌也立马探出头一脸疑惑地问道："苏梅梅，你怎么了啊？"

没想到的是，苏梅梅竟然用无比幽怨的表情看着朱雨萌然后质问道："说，你对老板做了什么？快说？"

朱雨萌被弄得一头雾水："什么啊？什么叫我对老板做了什么啊？"

苏梅梅举起手里的手机，冲到了朱雨萌的面前："你自己看。"

看着苏梅梅的手机，朱雨萌也露出了一副难以置信的表情，在手机的屏幕上，赫然显示着公司发来的短信。

短信上是新的公司公告和任命通知书。大概内容是：如再发现有人在公司发布恶意八卦消息，罚款一千，且升朱雨萌为秦明朗贴身私人秘书，以后有什么要找秦明朗审批的，都得经过朱雨萌。

"快说你跟老板到底是什么样的关系，为什么会一下子又升职了，还是一人之下万人之上！"苏梅梅红着眼睛，一副不甘心的样子。

朱雨萌红着脸，表情有些为难："我，我，我也不知道怎么会这样……"

"你不知道？你怎么可能不知道！这条说什么在公司恶意八卦罚款一千的条例一看就是为了保护你而存在的！还把你升为私人秘书，什么事情都经过你，明显就是在提高你的地位，让公司的人不敢再说你什么！朱雨萌你真是好样的啊！把老板搞定了！"

被苏梅梅这么一质问，朱雨萌觉得一阵羞愧，她拉了拉苏梅梅的衣袖："梅梅，你别生气啊，千万别生气啊……"

"哼！我怎么可能不生气，我辛辛苦苦工作，竟然还不如你，我这么努力这么优秀，还比你漂亮，凭什么没有你运气这么好！"苏梅梅的语气都有些哽咽了。

被一再这样质问，朱雨萌也不知道如何是好，反而也开始跟着怀疑起了自己。

好像被大老板喜欢都是自己的错一样。

"喂，我说苏梅梅，你一大早在这里羡慕嫉妒恨是闹什么啊？能够被老板喜欢，你不知道也是一种本事吗？"在床上的尹小可冷冷回击道。听到尹小可的话，苏梅梅气不打一处来，立马冲出了寝室。看着苏梅梅的背影，朱雨萌有些不知道如何是好。

"喂，我说你傻傻地站在原地干什么啊？"尹小可冲傻愣愣站着的朱雨萌问道。

朱雨萌有些郁闷地看着尹小可："小可，你也像苏梅梅那样想我吗？""怎么可能！我们这么久的感情，我能不了解你吗？朱雨萌，打起精神来，我告诉你哦，你千万不要觉得自责，也不要觉得有什么不安，你那个大老板喜欢你，是你们两个人的事情，跟别人没有关系，还有像这种天上掉馅饼的事情，你得要学会立马接住然后吃掉，不要觉得不相信不可能，因为像这样的好事，不是每个人人生里都会有的，别人说你，讽刺你，打击你，那都是因为他们嫉妒你。"尹小可看着朱雨萌晃神的模样，开始安慰道。

可是她的安慰像是一颗小小的石子丢进了无边的大海，没有泛起一点涟漪。

没办法，只能拿出必杀技的尹小可大喊道："朱雨萌你还站在这里发呆，那么你就会迟到了！"

听到这样一句，朱雨萌立马回过神赶紧冲出了寝室。

一边往公交车站跑去，她的脑子里一边响起刚刚尹小可的话。

是呀，天上掉的不是石头，而是一块极其美味自己又喜欢的馅饼，为什么纠结它到底公不公平？自己应该先毫不犹豫地尝一口才是啊！

把这个道理想通了，朱雨萌感觉整个人都轻松了。

爱上霸道独裁的大老虎!

有些绝望地发现，自己好像一点点地喜欢上那个霸道独裁的大老板了……

01

"雨萌，你好呀，今天看起来真的好漂亮哦！"

"是呀，是呀，这件衣服真的好衬你的肤色呢！看起来十分的亮眼。"

刚走进公司的大门，朱雨萌就接受到了从来没有过的待遇，市场部平常傲慢又不爱理人的苏珊和米娜，冲她热情地说道。

朱雨萌看着自己身上这件在公司穿过无数次的粉红色连衣裙，她想或许连连衣裙自己都没有想到会遭受如此热情的待遇。

"雨萌，感觉一天没见，你整个人就有点不一样啦！"还没从这个震惊中回过神来，朱雨萌的眼前就飘过两抹熟悉的身影。

李美美似乎是很熟络地搂过朱雨萌的肩膀，口气也变得异常的亲切："雨萌啊，昨天我讲的你不要往心里去啊，你也知道，我这个人呢，有时候嘴巴有点太厉害，其实我的心是很善良的，而且我觉得你跟大老板那绝对就是现代版的灰姑娘和白马王子啊！"

"是呀，我昨天的话你也别往心里去，想了一想，或许我是因为嫉妒，才会说出那样的话吧……"陈辰就没有李美美显得那么热情，她的表情依旧是冷冷的，只是语气显得善意了许多。

"是呀，是呀，雨萌我跟你说，我了解陈辰，她就是嘴硬心软，其实她心里还是挺喜欢你的，对不对？"说着李美美用胳膊撞了撞陈辰。

陈辰看着朱雨萌，不得不露出一抹有些勉强的笑容："嗯，还算是喜欢吧，毕竟每个女生看到这样的情况，都会有所嫉妒，因为有嫉妒才会有偏见。"

朱雨萌听着陈辰的话，倒是觉得有些在理，虽然她总是一副很喜欢落井下石又有些冷冷的样子，却也算这一群人里面最刚直不屈的一个了。

"是呀，你要知道像大老板那样的，可不光是王子的级别，可以算是天神和男神的级别，像他那样十全十美还极其有钱的主儿，每个女生的心里，肯定都是希望，他能把目光落在自己的身上，可到最后，竟然会是你……"说到这里，李美美发现自己的语气有些不对，便立马改口，"不，不，雨萌，你千万不要误会啊，我不是说你不好，只是说，很多人都会觉得有些意外和不敢相信。"

朱雨萌尴尬地笑笑，其实她自己到现在也不知道这个大老板怎么会喜欢上自己……可介于这个是一个复杂又神秘的问题，她想了很久之后，决定不想了……

看着李美美和陈辰的样子，一旁的米娜苏珊两人互相露出一副不耐烦又鄙夷的神色。

米娜首先发言："哎呀，不知道昨天听谁还在说，雨萌是想要飞上枝头变凤凰，可惜不知道大老板会不会领情。"

"是呀，我昨天在茶水间也听见了，嘿嘿，这下大老板发出了通知，通知也从侧面肯定了雨萌的地位，这下自己打自己的脸了吧？"苏珊又开始补刀。

听着这样火药味十足的谈话，朱雨萌一开始感觉有点尴尬，后来便感觉更是有点厌恶。

李美美听到这样的话，脸色瞬间变得很难看，她抖动了一下嘴唇，沉默了一下，这才又换上一张殷勤的笑脸，她搂着朱雨萌说道："哎呀，雨萌，你看我们以前那么好，我想以你的性格，也不会为了这点小事情，就跟我们闹得不愉快，你一定会原谅我们的吧？"

说着，李美美有些忐忑地看着朱雨萌，似乎很认真地等待着她的答案。

朱雨萌被这些突如其来的热情弄得有些云里雾里，她连连摆手，然后有些无奈地说道："没什么没什么哦……你们说的话，我都没有往心里面去，你们不要担心，不要担心。"

得到了这样的回应，李美美整个人底气都充足起来，她高高在上地斜了一眼一旁的米娜还有苏珊："看吧，我就说了，以我和雨萌的交情，她才不会因为这样的小事情而跟我计较什么呢！雨萌这样吧，中午我请你吃饭，你想吃什么就吃什么，就当是我为你赔罪了……"

本来有吃的，朱雨萌是不会拒绝的，可一想到跟李美美吃，她的心里就有些不愿意，思考了一阵之后，她有些不好意思地摆了摆手："不好意思啊，美美，中午我还有事，所以不能跟你一起吃饭，下次吧，下次吧……"

李美美露出一丝狡黠的笑容，她用手撞了撞朱雨萌胳膊："我懂，我懂，你中午肯定是要跟大老板一起吃饭吧……"

朱雨萌连连摆手："不是不是，是，是……"可否定了之后，又一时半会儿想不到到底用什么样的理由，便开始支支吾吾起来。

可旁边的四个女生见到她这样的反应，都认为故意解释那就是在掩饰，所以四个人纷纷地懂了，朱雨萌是要跟老板一起吃午饭。

随着电梯的到来，以及其他公司的人的增加，刚刚那些有些虚假的热情这才告一段落。走出电梯后，朱雨萌感受了一路的问候。好不容易走到了办公室，她看了看手表，原本只要5分钟的路程，她今天走了将近15分钟。

如果以后每天都有这样的事情出现，她肯定会被弄得崩溃的……

想到这里，朱雨萌放下包包走向秦明朗的办公室，希望可以说服他撤销对自己升职的通知。

02

刚推开办公室的门，就看见已经稍微长大一点点的小番茄正欢乐地对自己摇着尾巴。

"小番茄！"朱雨萌有些惊喜地惊呼道，并忍不住一把抱起它，开始温柔地抚摸起它来。

小番茄看见朱雨萌也是极其的热情，又是摇着尾巴，又是不停地往她的身上靠，还不停地伸出舌头开始舔她的手臂。

朱雨萌的心完全被可爱的小番茄融化，她完全忘记了自己要跟秦明朗申诉，一边抚摸着小番茄，一边说："小番茄，你最近有没有乖啊？有没有按时吃饭呀？有没有想我呀？嘿嘿，我可是很想你的！哎呀，不要这么兴奋，不要一直舔我，很痒的呀……"

坐在休闲沙发上的秦明朗看到这一幕，有些不满地拧了拧眉头，这个朱雨萌，怎么对自己还没对一只狗有热情呢？

跟小番茄玩闹得正开心的朱雨萌完全没有看到秦明朗脸上的不满，她嘴角扬起大大的笑容，刚刚的郁闷一瞬间都忘记在了脑后。

"咳咳——"数分钟之后，一直没有得到宠幸的秦明朗终于忍不住轻轻地咳嗽了两声。

听到动静，朱雨萌这才朝着秦明朗看去。她摇着小番茄的爪子，嘴角露出笑意："老板，你把小番茄养得很胖了哦……"

得到夸赞的秦明朗这才扬了扬头，说："那是当然，不过如果你能没事多去看看它，我想它应该会长得更快。"

朱雨萌抚摸着小番茄的毛，垂下头用充满爱意的眼光看着它说道："小番茄，是吗？如果我能多看看你，你会很快长大吗？"

小番茄听到这话，非常乖巧地摇了摇尾巴，这一动作又将朱雨萌逗得哈哈大笑。

这时，门外传来砰砰的敲门声。

创意二组的负责人黄一星拿着厚厚一叠资料走进了办公室，看到蹲在地上玩狗的朱雨萌，他的表情变得有些微妙，将资料拿给秦明朗后，毕恭毕敬地说道："老板，这个是好妈妈的广告创意。"

秦明朗看也没看就直接问道："客户那边满意了吗？"

"嗯，他们表示非常的满意，并希望我们能够马上进行广告的拍摄和制作。"黄一星的表情有些自豪。

秦明朗点了点头，看都没看就直接在资料上签了字："既然客户说马上开始，那么你们就抓紧吧。"

得到指示以后，黄一星就拿着资料走出了办公室。

一整套流程看下来之后，朱雨萌感觉到有些纳闷了，为什么别人拿资料上来签字，什么都不用说，也不用表演，更甚至，老板看都不用看就直接签字呢？

而自己，又要朗读，又要表演，还一步步沦为了老板的私人助理？

想到这里，朱雨萌抬起头看着秦明朗："老板，为什么他都不用朗读文案，也不用表演，你甚至都不看啊……"

被朱雨萌问住的秦明朗稍微地愣了一下神，之后才有些牵强地说道："我的事情很多，哪能一样一样过目呢？"

听到这样的解释，朱雨萌显然不接受，在那段需要朗读和表演策划案的日子里，她甚至把每个部门的策划案都表演过……

难不成是老板刻意想整她？

这样的想法让朱雨萌忍不住拧起了眉头，露出一副有些不爽的表情。

见到情况有些不妙，秦明朗也没有再坐在沙发上，而是蹲到地上跟朱雨萌一起逗起了小番茄。

秦明朗抓着小番茄，不时地拍拍它的头，或者捏捏它的脚，面对这样的动作，小番茄露出了有些不耐烦的神情。

"可怜的小番茄，是不是在家，经常被大老板敲头啊？真是可恶的大老板啊！明明就是想要整别人，还要说得那么好听……"朱雨萌平常不敢当面抱怨，此刻只能借由小番茄来发表一下自己的不满。

听到这样的话，秦明朗脸色一沉，他伸出手，轻轻地敲了敲朱雨萌的头，语气依旧是那么的霸道和冷漠："朱雨萌你是想自己的工资还有年终奖打一个大大的折扣吗？"

朱雨萌摸了摸额头，神情开始变得慌乱："好吧，我错了，大老板，我错了，还不行吗？你就放过我的工资还有年终奖吧……"

得到这样的答案，秦明朗这才露出了满意的笑容，看到朱雨萌如此紧张害怕的样子，他心里的恶作剧因子又开始蠢蠢欲动，他一点点地靠近朱雨萌。

两人之间的距离很近，朱雨萌有些害羞地看着秦明朗，秦明朗的眼中也是满满的爱意，小番茄在两人的中间，悠闲又愉快地不停摇着尾巴。

似乎有一股莫名的情愫在两人的心中悄悄地萌发，朱雨萌感觉自己的脸颊越来越烫，四周除了自己的呼吸声，顿时陷入了一片安静，秦明朗的脸在此刻间，突然散发出了不可抵挡的魅力，似乎有一种想要越靠越近的冲动。

与此同时，秦明朗似乎也有了相同的感觉，他带着逼人的帅气和难以抵抗的魅力，一点点地靠近朱雨萌。

其实心里知道接下来会发生什么，可是此刻，朱雨萌不觉得害怕，也不觉得紧张，而是无比期待那件事情的到来。

就在这时……

"咔嚓——"

在这样浪漫的时刻，相机的声音突然响起。

"哇，这么温暖的画面是一定要偷拍下来的啊！"破坏气氛的罪魁祸首吴佑轩举着手机说道。

被打断的秦明朗露出一脸不爽的表情，慢慢地挪开了自己的身子。

而朱雨萌也尴尬地挪开自己的身子，她站起身，有些羞涩地说了一句："老板，我先出去了哦。"便起身离开了。

吴佑轩看了看逃走的朱雨萌，有些疑惑地看着秦明朗问道："我刚刚是做错了什么事情吗？"

秦明朗白了吴佑轩一眼，坐回到沙发上，然后冲他说道："我刚刚在想，要不要取消你上班时间随意这个优惠政策。"

听到这话，吴佑轩立马急了："为什么啊，我做错了什么啊！我为公司那可是赴汤蹈火鞠躬尽瘁！你不知道，昨天为了跟明达谈合同，我喝了多少！不过幸好的是，明达已经同意跟我们签约了。"

说着，吴佑轩从包包里拿出一沓合同书。

听到这个消息，秦明朗的表情这才放松了一些，他示意吴佑轩坐下，两人便开始讨论起工作的事情来。

而与此同时从办公室里冲出来的朱雨萌则不停用手给自己的脸颊降温。

怎么回事，自己刚刚不是要提不要升职的事情吗？

怎么全部被抛在脑后了……

还有刚刚，刚刚跟大老板突然来电是怎么回事啊……

朱雨萌一边用手为自己的脸颊降温，一边有些绝望地发现，自己好像一点点地喜欢上那个霸道独裁的大老板了……

03

"砰——"

随着香槟瓶盖的打开，整个会场陷入一片兴奋的欢呼中。秦明朗穿着笔挺的深红色丝绒西装，笑容明媚，站在他身边的是一个有着大肚子，长相很可爱的中年男人，他们俩在众人的欢呼中，握手并交换合同书，在互相签字之后，便举杯跟着大家一起畅饮。

穿着亮黄色小礼服的朱雨萌在跟大家一起举杯之后，便赶忙拿起手边的葡萄往嘴里偷偷塞了一颗。

今天是晴朗广告公司正式跟明达房地产公司签约的日子，两家公司的员工还有特邀嘉宾齐聚一堂。一整天都陪着秦明朗跟不同的老板合作人卖笑聊天，朱雨萌早已经饿得前胸贴后背，这才趁举杯畅饮的时候，偷偷吃了一颗葡萄。

"怎么？很饿了吗？"在朱雨萌又偷偷摘了一颗葡萄的时候，秦明朗走到了她的身后，用有些宠溺的声音说道。

被发现的朱雨萌显得有些不好意思，她转过身将那颗葡萄收在自己的手心里，冲秦明朗嘿嘿一笑："没，没有，我没有饿呢！"

秦明朗看到朱雨萌的反应，嘴角微微一笑，然后顺手摘了一颗葡萄喂到她的嘴巴里："饿就吃，不要觉得不好意思，反正在我的心里，你已经是一个吃货了。"

"什么吃货啊，我可不是吃货。"朱雨萌一边咀嚼着葡萄，一边用含糊的声音不满地反抗道。

"还说不是吃货。"秦明朗笑着又将一颗葡萄塞进了朱雨萌的嘴里。

朱雨萌咬着葡萄，将手心里握着的葡萄塞进了秦明朗的嘴里："给你吃，那么你也变成吃货了。"

看着两人如此打情骂俏的模样，周围的女生纷纷发出羡慕的惊叹声。

听见周围议论纷纷的声音，朱雨萌下意识地跟秦明朗保持了一点距离，可刚退后小小的一步，就被秦明朗一搂腰让两人的距离更加贴近了一些。

"喂，大老板，大庭广众之下有你这样对待女员工的吗？"朱雨萌对秦明朗的动作表现得有些害羞。

"怎么？现在是表示反对意见吗？男朋友搂女朋友有什么不可以的？"秦明朗挑了挑眉毛，一副有些傲慢的样子。

听到秦明朗的话，朱雨萌愣了一愣。

男朋友和女朋友？自己和秦明朗的关系已经发展到这个地步了吗？

看样子，似乎大老板上一次说的话都是真的……

可是，可是……

朱雨萌心里有些纠结，她低着头，轻声嘟囔道："什么男女朋友啊，拜托，我可没有答应说要当你的女朋友啊……"

"可你也没有说你不要啊……"

看着如此霸道的秦明朗，朱雨萌一时间有些语塞。

"再说了，如果你说不要的话，那么朱雨萌请你注意自己的工资，季度奖金，还有年终奖金啊……"说着秦明朗就露出一副奸商的表情。

朱雨萌有些不满地皱起眉头："你这个完全是资本主义的压迫……"

"对，你说对了，我就是你的资本主义。"说着秦明朗亲昵地点了点朱雨萌的头。

朱雨萌拨弄了一下自己的刘海儿，有些不满地说："还第一次看到有人自己承认自己是资本主义的。"

"怎么？不行吗？那我现在就用资本主义的态度命令你，明天来我家。"

"去你家？"朱雨萌红着脸整个人有些不敢相信。

看着朱雨萌害羞脸红的样子，秦明朗露出了狐狸的面貌："我让你来我家，你脑子里在想什么呢？怎么脸这么红？啧啧，都已经红到脖子了……"

"没，没，没有，我才没有在想什么呢！"朱雨萌已经紧张得整个人有些手足无措了，她双手抚摸住自己的脸颊，想要为它们降降温。

"肯定是想了什么不好的事情吧！啧啧，真是想不到啊朱雨萌，原来你心里对我有这么多的期望啊！"秦明朗弯下身一点点地靠近朱雨萌。

随着距离越来越近，朱雨萌的脸颊又开始了一轮新的涨红。此刻的她已经沦为一抹闪闪发光的红苹果。

朱雨萌用手撑住秦明朗的胸部防止他继续朝自己靠近，语气有些害羞："那你说说，我去你家干什么啊？"

秦明朗看了看放在自己胸口上的手，嘴角露出一抹坏笑："想让你啊……"说到这里，他估计将语气拖长了一阵这才淡淡地说道，"想让你来我家，帮我喂小番茄！"

听到喂小番茄，朱雨萌这才重重地松了一口气。

"这个星期已经帮你喂了3次小番茄了！你怎么还没有记住，它到底喜欢吃什么啊？"朱雨萌的语气有些嗔怪。

"没办法啊，这种事情我就是做不好，需要你帮我啊，小番茄就是容易想念你，就是需要你啊……"秦明朗直起身子一副理所当然的样子。

朱雨萌哀叹一声，哪里是小番茄需要自己啊，明明是这个大老板喜欢折磨员工吧……

两人的甜蜜打情骂俏的模样羡煞旁人，却使得站在朱雨萌不远处的楚子昀看着有些不舒服，他神情落寞地一个人走到了角落。楚子昀的态度是眼不见心不烦，很是消极。

此时，王芯优也走了进来。她见此情景，就没楚子昀那么冷静。她举着酒杯，一边摇晃着，一边朝着那两个浑身都散发着粉红色泡泡的身影走去。

这边的秦明朗和朱雨萌丝毫没有发现危险正在一步步靠近，继续玩着喂葡萄的幼稚游戏。

"哎呀，我们可真是有缘啊，怎么又见面了呢？"

见到王芯优的出现，朱雨萌本能地往后躲了躲，并想要转身偷偷走开，吃了一次又一次的亏，她倒是也学乖了，这个女生自己惹不起，难道还躲不起吗？

可她还没来得及转身，手就被秦明朗一把抓住。

朱雨萌瞪大眼睛有些不明所以地看着秦明朗。

这个家伙这种时刻怎么能抓着自己呢？应该让自己赶紧逃走吧……

朱雨萌心里想着。

"嗯，如果你过来只是打个招呼的话，那么你现在可以走了。"秦明朗的声音冷冰冰的，丝毫不给王芯优任何台阶可以下。

王芯优被这样一说，死死地咬了一下嘴唇，然后露出一抹苦笑："我现在可以走啊，可是未来我们见面的时间还有很多，你不知道这一次明达跟我商量代言人合作的事情吗？"

听到这里，秦明朗有些不以为然地点了点头："嗯，我知道。"

"你知道？你知道为什么还不反对，难道你不觉得我这样每天在你眼前晃来晃去很碍眼吗？"王芯优说这话的时候，整个人都有些颤抖。

看着两人的样子，朱雨萌感觉自己倒是像个电灯泡了，她心里拂过一丝淡淡的酸涩。

原来秦明朗早就知道明达找王芯优当代言人，那么也就是说他一点都不介意？

这样的话，是因为曾经有过感情，所以才不介意吗？

朱雨萌想着想着就忍不住低下了头。

"我为什么要反对呢？你对我而言，就是一个明星，并没有其他的感情，就商业价值而言，你的价格和人气都很适合做这个地产广告的代言人。我们之间还是可以有工作上的合作，这没有什么。"秦明朗看了身边神色变得有些不对劲的朱雨萌一眼，然后默默地将手又握紧了一些。

"并没有其他的感情？"王芯优喃喃自语了一下，沉默了一会儿之后，这才抬起头继续问道，"所以，真是一点挽回的余地都没有了吗？我知道那个时候都是我的错，明朗，你原谅我，我们重新开始，好不好？"

看着如此卑微的王芯优，朱雨萌都忘记了她那个时候对待自己凶神恶煞的样子，反倒有些同情起她来了。

秦明朗没有说话，只是一把紧紧搂过朱雨萌，然后语气坚决地说道："对不起，我想这个问题没有必要反复地跟你说了，现在，将来，我喜欢的只有我身边这个女生。她很喜欢吃，却又会小心翼翼划算，为了折扣可以随便拉个不认识的男人冒充情侣的全世界最笨却也最可爱的女生，所以啊，不要跟我说以前了。你很好，没有必要把自己弄得这么卑微。"

说完，秦明朗就在众女生一片艳羡的声音中，拉着朱雨萌离开了会场。

呆呆站在原地的王芯优看着两人离去的背影，这才恍然反应过来，自己极力想要留住的，其实从来都没有属于过自己。

04

被秦明朗一直拉着的朱雨萌整个人脑子里都是刚刚那些对于王芯优的猜想。

等两人走到了无人的地方，秦明朗这才松开了朱雨萌的手，看着她有些不开心的样子，他的心中不免暗暗得意起来。

"怎么，你这是吃醋的表现吗？"秦明朗低下头问道。

朱雨萌赶忙抬起头："没有啊，没有啊，我怎么会吃醋呢！我才没有吃醋呢！"

"是吗？可你的眉头已经皱成一个川字形了啊……"说着秦明朗点了点朱雨萌的眉头。

朱雨萌赶紧摸了摸自己的眉头，然后继续辩解道："哪有，不要冤枉我，我才不会因为这样而吃醋呢！"

"哦，不会因为这样而吃醋，那会因为怎样而吃醋呢？"秦明朗又开始挖了一个大坑等着朱雨萌主动跳进去。

发现自己又说错话落入了秦明朗的陷阱，朱雨萌赶忙捂住自己的嘴巴："什么都不会吃醋，什么都不会吃醋啦……"

"好啦，放心吧，我以后一定会收拾一下自己的魅力，让你不要有那么多吃醋的机会，相信我吧！"

看着秦明朗如此嚣张的样子，朱雨萌吐了吐舌头。

"我对一个人不在乎才能做到可以毫无顾忌地谈工作，就像王芯优，其实我跟她在一起也不是因为有多么的喜欢，分手呢，也是因为发现自己没有办法喜欢她。现在能够接受要一起工作，也是因为，心里没有喜欢。还有哦，即便她是明达的代言人，我们的交集也不会有什么，因为这件事情，我交给吴佑轩办了。"秦明朗还是正经地解释了一下。

听到秦明朗的解释，朱雨萌感觉自己心里甜甜的。

其实她在乎的并不是秦明朗是如何解释的，而是解释的这个行为。

平时总是冷冷冰冰的人，会为了自己解释这些在他心里根本没有必要解释的东西，这种行为本身就是一种浪漫。

"对了，是不是很饿啊？"秦明朗想到朱雨萌刚刚的样子，忍不住问道。

朱雨萌摸了摸自己空空的肚子，轻轻地点点头："这样的场合还真的没有办法能够吃饱呢！"

"是吧，发现跟大老板谈恋爱的不好了吧？跟我约会是不是有点无聊？"秦明朗的表情有些苦涩。

朱雨萌抬起头冲秦明朗笑笑："如果大老板约会的方式有些无聊的话，那么以后我们就尝试穷学生的约会方式吧？"

"穷学生的约会方式？"秦明朗有些疑惑，"是什么样的约会方式？"

"嘿嘿。"朱雨萌狡黠一笑，露出一副神秘的表情："等下次再告诉你。"

"下次？"秦明朗一把搂过朱雨萌的肩膀，"快点告诉我，什么时候开始穷学生的约会，不然我可就要……"

"就要怎么样？"朱雨萌有些忐忑。

"不告诉我，我可就要吻你了。"说着秦明朗露出一副奸诈的表情。

朱雨萌被这一句弄得立马捂住了自己的嘴巴，没办法，遇到这么一个耍流氓的大老板，只能举白旗缴械投降。

"我想不如下周,下周进行穷学生的约会怎么样?"

"下周?"秦明朗对于这个时间显然不是很满意。

朱雨萌见没被同意便又试探性地说道:"那,那,不然就这个星期五?"

"这个星期五?"秦明朗对于这个答案还是不满意。

"那后天?"

"不行。"

"那明天?"

"好!"

终于说出了大老板心里想要的答案,朱雨萌这才松了一口气,看着脸上扬着微笑的秦明朗,朱雨萌也感觉自己心里甜滋滋的。

05

昨天提议了要进行穷学生约会之后,秦明朗就一整夜都没有怎么睡好。

首先,距离他毕业已经过去7年了,此刻他一点都不记得,作为一个穷学生要怎么约会了。其次,即便是学生的时候,他也因为卖创意从来没有穷过。

一直到了早上8点,辗转反侧的秦明朗左想右想之后,拿起床边的手机,拨通了一个号码。

"喂。"电话那头吴佑轩的声音迷迷糊糊的,显然一副没有睡醒的样子。

"不要睡了，清醒一点，听我的问题。"秦明朗用有些命令的口吻。

"拜托啊秦大老板，今天可是放假啊，昨天的酒会我可是喝到了3点，你拖着朱雨萌就走了，留我一个人在那儿，你知不知道，我有多难啊，你知道我喝了多少吗？你去哪里找像我这样鞠躬尽瘁的员工啊……"吴佑轩逮住机会便开始抱怨了起来。

"好了好了，我知道了，有事情要问你。"秦明朗没心思听吴佑轩的废话，便开始直奔主题。

"要问我？你是要问我，还是要请教我啊？"吴佑轩第一次见到如此这般的秦明朗，瞌睡全都醒了。

"你管呢！回答就是了！"秦明朗有些懊恼，"你说说，什么叫穷学生的约会啊？如果是一个穷学生的约会，到底要穿成什么样呢？"

"哈哈哈……"听到这个问题，吴佑轩没有为秦明朗解答而是大笑了好几分钟。

"你要是一直笑的话，我就挂电话了。"秦明朗被笑声弄得有些发怒。

"好了，好了，我不笑了，不笑了，可以了吧？"吴佑轩止住笑意，然后问道，"你是要跟朱雨萌来一次穷学生的约会吗？可是，她是学生，你不是啊，你已经不是大学生好多年了，你知道你现在叫什么吗？你现在在那些大学生眼里，就是一个快要30岁的大叔……"

没有等到答案反而等来一阵羞辱，秦明朗气不打一处来，他的声音变得有些低沉："你没有办法的话，那我就把电话挂了。"

"等一等。"吴佑轩知道如果自己再继续耻笑下去，秦明朗一定会跟自己翻脸，他开始正经地思考了一分钟之后，开始建议道，"既然都说了，是穷学生的约会，那么穿得像个学生是肯定要的，千万不要穿西装，西装肯定是不行的，颜色最好亮丽一点，然后也不能穿皮鞋，要穿休闲的鞋子，最后，记住表情一定要青涩。不要像现在这样，不管什么时候，都是一个冰块脸，记得啊，你是去约会的，不是去当老板的，记得要温柔，要微笑……"

"好了，好了，知道了。"听到具体的建议后，秦明朗就挂掉了电话。

他站起身打开自己的衣柜，发现里面被西装还有夹克堆满。像是明白他的忧愁一般，小番茄在他的脚旁开始转起了圈圈。

"老板，早餐已经好了。"张姨走上楼冲秦明朗说道。

看到张姨，秦明朗问道："张姨，你知道我有什么比较显得像学生一样的衣服吗？"

张姨想了一阵子之后说道："老板有一次从澳大利亚回来倒是带了几件还挺阳光的衣服，可是您一直都没有怎么穿，所以帮你放在柜子的最左边的。"

按照张姨的说法，秦明朗打开了最左边的柜子，发现了一套白色的休闲装。等他按照吴佑轩的建议打扮好自己之后，他都有点认不出自己了。

　　而此刻的朱雨萌，也在镜子前反复试穿裙子还有与鞋子搭配的高跟鞋还有包包。

　　"猪呀，我觉得你穿那件绿色的裙子比较好看。"尹小可说道。

　　"我觉得橘黄色那件比较好看。"苏梅梅一边吃着梅子，一边说道。

　　"不要听她的，她之前对你那么刻薄，现在是因为你在你们老板前面给她说了好话，让她实习后可以直接留在公司，她才这样，所以她的话，你基本可以忽略。"尹小可白了苏梅梅一眼。

　　听到这样的说法苏梅梅有些不服气："喂，我说尹小可，你怎么说话的呢！我之前怎么对雨萌不好了啊！"

　　"你难道敢说你之前有对我们家猪好过吗？我们家猪是善良，才大人不记小人过，还替你求情……"

　　……

　　听着两人的吵闹，朱雨萌露出一抹无奈的表情："你们别吵了，每天这样吵你们不累吗？"

　　"不累啊，话说，你准备带你那位大老板去哪里约会啊？"尹小可开始八卦起来。

　　"去小吃街啊！"朱雨萌淡淡回应道。

　　"哇！太浪漫了吧！大老板竟然肯去那样的地方啊！"尹小可又露出了花痴的表情。

"你不要想了，大老板是不会喜欢你这样的。"苏梅梅回应道。

"拜托，大老板不会喜欢我这样的，也不会喜欢你这样的，我们两个彼此彼此。"

"你……"

见两人都不肯饶过彼此的样子，朱雨萌摇了摇头，然后默默地换上了一件粉红色的裙子，搭配上白色的高跟鞋还有白色包包。

等手机一闪闪显示着秦明朗的号码时，她也刚刚好打扮完毕。

"我走了，你们两个要友好相处哦！"说着，朱雨萌就踩着欢快的脚步离开了。

"咦，刚刚没发现，猪穿粉红色也挺好看的呢！"

"是呀，比穿你提议的绿色更加好看。"

看着朱雨萌离开的背影，尹小可和苏梅梅讨论道。

06

等走到学校的门口，看到穿着一身白色休闲装搭配纽巴伦运动鞋的秦明朗的时候，朱雨萌整个人下巴都要掉下来了。

要知道，她可是第一次看到穿成这样的大老板呢！

"快上车，愣什么呢？"秦明朗冲朱雨萌招手。

朱雨萌捂住嘴忍不住偷笑："你怎么穿成这个样子呀？"

秦明朗有些不满地皱起眉头："怎么？穿成这样不好吗？"

朱雨萌连连摆手："没有，没有，挺好的。"可说完，还是忍不住笑了一下。

秦明朗点了点朱雨萌的头："不要再笑了，再笑就扣你工资。"

朱雨萌赶紧收住了笑意。没办法，谁让他掌管自己的工资的生杀大权呢？

"不是说要进行的是穷学生的约会吗？穿成这样有什么不对？"秦明朗瘪了瘪嘴，帮朱雨萌拉开车门之后，就坐到了驾驶位上。

朱雨萌上车，看着面前为了自己改变的秦明朗，心里瞬间堆满了甜蜜。

"去哪里约会？"

"幸福路的第三条巷子。"朱雨萌报上了地名。

等秦明朗把车开到了朱雨萌所说的位置之后，这才发现这是一条人气极旺的小街。这里有各种各样的美食，还有奇奇怪怪的精品店以及衣服店。

"这一家的章鱼烧超级好吃！"朱雨萌拉着秦明朗来到一个卖章鱼烧的摊子面前。

留着大胡子的老板见到朱雨萌赶忙打招呼道："雨萌没有跟小可一起来啊？"

"没有呢，今天不跟她一起来。"说着朱雨萌看了身旁的秦明朗一眼，满脸的笑意。

大胡子老板看了秦明朗一眼，然后表示懂了地笑笑："哦，原来今天是带了男朋友啊！为了庆贺我们的雨萌谈恋爱，给你多加一份！就当我请客！"

"谢谢老板！"朱雨萌甜甜地回应。

看见朱雨萌承认自己是男朋友，秦明朗嘴角的笑意也一点点放大。

吃了章鱼烧以后，两人就开始从街头一直吃到了街尾，大部分的小摊贩都跟朱雨萌很是熟悉的样子，见到她有男朋友都多送了一些吃的。

"这一家的香蕉牛奶最好喝了，每一次喝都觉得好幸福呀！"朱雨萌一边喝一边露出满足的表情。

由于没有吸管所以朱雨萌的嘴唇上有牛奶的印儿。

秦明朗停下脚步看着她，然后指了指嘴巴："这里有牛奶印儿。"

朱雨萌伸出手准备擦掉，可还没等她做出动作，就感觉自己的嘴唇传来一阵温热，紧接着的是心脏的快速跳动，以及无比美妙的心动感觉。

自己又被大老板给强吻了吗？

朱雨萌的脑子里乱哄哄的一片，可想了一会儿之后，她就懒得再想了，而是沉浸在那个无比美妙的吻当中。

"好了，没有印儿了。"结束亲吻，秦明朗露出一抹坏坏的笑容，继续说道，"小心喝哦，不然又要被吻了。"

朱雨萌满脸通红，她看着一脸淡定的秦明朗有些懊恼。

真是个霸道的家伙啊，明明就是强吻了别人，却说得自己好像做了一件好事情一样……

结束掉那个粉红色的亲吻小插曲之后，两人就又恢复到一边逛一边吃的节奏中。

等两个人肚皮都快要撑破的时候，天色已经暗了下来，秦明朗开着车送朱雨萌回到了寝室。

到了寝室门口，秦明朗下车帮朱雨萌开车门。

"好了，回去吧，早点睡。"

朱雨萌乖乖地点头，心里仍旧被幸福填满，她直视秦明朗的眼睛问道："老板，今天的穷学生约会满意吗？"

秦明朗笑了一下，点了点头："满意。"

朱雨萌感觉自己的心里像是吃了一颗糖，无比的甜，她深呼吸一口气，然后用力踮起脚尖，趁秦明朗不注意，在他的脸上留下了轻轻的一吻。

"大老板男朋友，明天见。"说完，朱雨萌就一溜烟跑走了。

秦明朗还没从亲吻中缓过神，看着朱雨萌跑走的背影，摸着脸上的亲吻，嘴角扬起一抹无比幸福的笑容。

这只猪终于落进他的怀抱了……

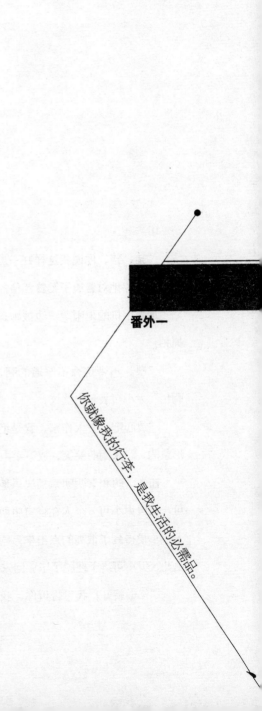

番外一

你就好像我的行李，是我生活的必需品。

01

"猪，猪，你说我这样好一点，还是这样好一点？"穿着学士服的
尹小可不停地对着镜子坳着各种各样的造型。

拿着相机的朱雨萌一边被她逗得咯咯笑个不停，一边拿起相机一顿
抓拍。

"喂，不带这么不厚道的啊，这样丑的照片可不能流传到网上去
啊！"尹小可表示出抗议。

"放心吧，尹大作家，我是绝对不会破坏你在广大网友心中的美好
形象的。"朱雨萌笑笑，放下手中的相机，从床上拿起学士服换起来。

在朱雨萌和秦明朗幸福快乐地生活在一起之后，由于经常忽略尹小
可，所以尹小可一个人在寝室将两人的故事写成了小说，并发表在了网
上。小说得到了很高的点击率。同时，也为她带来了各种各样的机遇，
由此，尹小可终于摆脱了毕业回家接收养猪场的命运。

"知道就好！我可告诉你，我现在怎么也算是个网络红人了，你和

秦明朗的故事的点击率已经破了千万了！还有好几家图书公司都在跟我接洽，怎么样？看着自己的故事即将被印成书有什么样的感想啊？"

朱雨萌走到镜子前，一边戴学士帽，一边回应道："我很感动，很知足可以了吗？尹大红人。"

尹小可狡黠一笑，然后掏出手机："不行，我得发个微博，并发起一个话题，话题的名字叫——有个会写书的闺蜜真好。猪，你觉得怎么样？"

朱雨萌戴好学士帽，对着镜子中的自己微微一笑："好，怎么都好，先说了啊，不要再一直催我玩微博了，我每天工作都快忙死了……"

"好好，不逼你，反正我现在的粉丝已经破十万了，我也没有什么时间管你。"说着尹小可拿起手机，并打开自拍功能，"来，拍一张，跟真实"朱筱筱"的合影。"

朱雨萌非常配合地跟尹小可来了一张自拍，拍完后，尹小可立马发到了网上，没过多久便成功收到了几千个赞和几千条评论。

"朱雨萌，尹小可，你们还在磨蹭什么啊！毕业典礼就要开始了！"苏梅梅穿着学士服化着恰到好处的淡妆从寝室外走了进来。

朱雨萌拿起一旁的背包，拉着尹小可："快迟到了啊，赶紧走，赶紧走。"

尹小可被朱雨萌拉着，视线仍旧在手里的手机上："等一下，我看看评论嘛！哎呀！朱雨萌很多网友都夸赞你可爱呢！什么时候让你们家大老板跟我合照一张啊！对了，今天是你的毕业典礼，他什么时候过来啊？"

听到这话，朱雨萌有些悲伤地低头没有说话。

一旁的苏梅梅察觉到朱雨萌情绪有些不对，便撞了撞尹小可的手肘："昨天不是跟你说了吗？老板去欧洲出差了，要到后天才能回来，所以不能来参加雨萌的毕业典礼。"

"对不起啊，猪，我给忘了，没事啦，你们家大老板事情多，可以谅解可以谅解啦！"尹小可赶忙安慰道。

朱雨萌没说话，看着自己安静的手机，心情更加失落起来。

本就不奢望他能来参加自己的毕业典礼了，可是这个家伙没必要一条短信，一个电话也不打吧……

怎么说，毕业典礼对于自己而言，都是特别重要的啊……

朱雨萌叹了一口气，更加加快了脚步。

等3个人赶到操场的时候，毕业典礼正式开始。校长开始讲话，不过与以往不同的是，台下的同学会不时地回击着校长，还有一些同学自发地冲到台上表演节目，看着那些搞笑的节目，尹小可还有苏梅梅都笑得花枝乱颤，唯独朱雨萌怎么也笑不出来。

她拿出手机，拍了一张自己穿学士服的照片，并发给了秦明朗。

如此重要的日子，虽然他不能陪伴在自己的身边，可心里还是想要跟他好好分享分享。

可照片发过去了，已经标示为已读，朱雨萌却依旧没有收到任何的回应。

失落感觉一点点加重，到了最后合唱校歌的环节。朱雨萌看着这个生活了4年的学校，以及统一着装的同学们，顿时眼眶有些红红的。

一旁的尹小可在唱完最后一句的时候，突然崩溃大哭起来。面对这样的局面，苏梅梅和朱雨萌都有些手足无措。

"小可，小可，你别哭了啊，别哭了。"朱雨萌拍着尹小可的背，开始安慰道。

"怎么办，我还没有办法接受毕业，我还想要一直待在学校，我不想要毕业，我想要谈恋爱，我在大学还没有谈过一次恋爱，我伤心……"尹小可一脸悲愤的表情。

可听到不想毕业的理由，朱雨萌表示有些汗颜，她一把拉起尹小可，然后指着穿着学士服的人流说道："今天是在学校的最后一天，你要不要奋起直追一个。"

尹小可擦了擦眼泪，然后有些怯怯地问道："最后一天还能有希望吗？"

"能，当然能，喏，那里就有一个什么'情缘一线牵'的活动，我们去参加看看吧，指不定你能在最后一天找到你的白马王子。"说着，苏梅梅就指了指操场一旁的绿色展台。

"好，我们一起去吧，雨萌反正你们家大老板没来，你就跟着我们一起吧！"说着尹小可就拉着苏梅梅还有朱雨萌朝着那个展台走去，完全没有了刚刚那副伤心得惊天动地的模样。

朱雨萌看着那个展台，心里有点犯怵："不要啦，我不要参加，我就陪着你们就好了，我只要在旁边看着就好了。"

"那不行，你也要参加，不然我就不参加了，你紧张什么，你们家大老板在遥远的欧洲，难不成还能察觉到什么啊！"尹小可简单粗暴地拒绝了朱雨萌的提议。

02

3个人带着不同的心情来到展台后，一个有着1米8身高温暖笑容的男生迎接了她们。

"同学，是来参加我们的活动的吗？我们的活动是想要在毕业这一天，为还没有谈恋爱的单身男女青年制造一点小小的机会。"说着那男生从旁边拿出3朵玫瑰花，并给了朱雨萌、尹小可还有苏梅梅一人一朵。

"男生女生手中都有玫瑰花，最开始是男生把自己手中的玫瑰花送到自己喜欢的女生身上。然后是女生将自己手中的玫瑰花送到自己喜欢的男生手上。如果互相接受了各自的玫瑰花，那么就要现场交换联系方式，并共舞一曲。"

等那男生说完，一旁的尹小可早就被他的外貌迷得云里雾里了。

"那我的给你吧。"说着尹小可就将手里的玫瑰花递到那男生的手上，热情地自我介绍道，"我叫尹小可，21岁，白羊座，B型血，喜欢看小说，写小说，你呢？"

男生接过玫瑰花的一瞬间表情有些尴尬，最后又被尹小可逗笑："我叫金宇贤，从小在韩国长大，12岁回中国，22岁，射手座。很谢谢你的玫瑰花，只是活动还没有开始，待会儿开始了，我想我会把我的玫瑰花送给你。"

听到这句回答，尹小可兴奋得就差原地手舞足蹈起来。在她还想要讲点什么的时候，另一群穿着学士服的男生女生也朝着展区走了过来。

苏梅梅还有朱雨萌见到人多，便拉着尹小可走到了活动场的中心。

"喂，你们觉得那个金宇贤怎么样啊？是不是帅得闪闪发光啊？"尹小可坐在活动的椅子上继续开始花痴起来。

苏梅梅白了尹小可一眼，便没有理她径直观察起参加的男生来。

朱雨萌本就没有什么心思参加活动，便掏出手机，秦明朗依旧没有给出任何的回复，看到空空如也的手机，朱雨萌忍不住嘟起了嘴，生起气来。

几分钟后，主持人宣布活动开始。整个活动有10个男生，10个女生，每人手中都拿了一朵玫瑰花。

在男生给女生玫瑰花的环节，金宇贤果真将自己手中的玫瑰花递给了尹小可。让朱雨萌想不到的是，她竟然也收到了3个男生给出的玫瑰花。

"好，那么现在男生已经全部给出玫瑰花了吧？"主持人开口发问。

众男生你看我，我看你，然后纷纷点了点头。就在这时，一个听起来有些冷酷的声音响了起来。

"等一下。"

众人的目光都朝着最左边看去，只见一个穿着黄色格子西装，脸庞无比俊美的男生一步步走进活动的区域。

看着那张熟悉的脸，朱雨萌、尹小可、苏梅梅都不自觉地吸了一口冷气。

大老板秦明朗怎么会出现在这里！

"苏梅梅，你不是说大老板去欧洲了吗？怎么会在这里啊！"尹小可一想到是自己拖着朱雨萌来到这个相亲现场的就忍不住发抖。

苏梅梅也是一副惊慌失措的样子："我，我，我怎么知道啊！明明要后天才回来的啊！怎么今天就回来了啊！"

朱雨萌震惊得不敢相信自己的眼睛，她直直地盯着那个身影，眼眶慢慢红了一些。

"这位同学，这一批活动的人数已经满了哦，你要等下一批活动哦！"主持人提醒着秦明朗。

秦明朗拿着玫瑰花，冲一旁对着自己露出花痴表情的女生说道："既然是一个人性化的活动，那么就问问其他女生，我能不能来参加吧！"

女生们等秦明朗说完话，便纷纷表示出了赞同，见到这样的状况，主持人只能无奈答应了。

一旁的男生们，看着秦明朗的出现，一个个像是霜打了的茄子，一蹶不振。

得到了同意后，秦明朗拿着手中的玫瑰花，一步步朝着女生区走去，他每经过一个女生，都听到一声小小的惊呼。

他径直走到了朱雨萌的面前，并将手中的玫瑰花交到了她的手中，然后他弯下腰，在朱雨萌的耳边，轻轻地说了一句："朱雨萌，你胆子够大啊！"

朱雨萌听到这句话，恨不得找个地洞马上钻进去。

递完花之后，秦明朗就退回了男生区。

"好了，那所有的男生都给出了手中的玫瑰花呢！那么接下来的时间就由女生将自己手中的玫瑰花交给男生！"

主持人一声令下，一众女生纷纷朝着秦明朗奔去。几秒钟之后，秦明朗手中就握着除了尹小可、苏梅梅还有朱雨萌以外的7朵玫瑰花。

尹小可自然而然地跟金宇贤走到了一起，苏梅梅的玫瑰花则是给了一个戴着眼镜，面容清秀的男生。

就剩下站在原地还没有缓过神来的朱雨萌。

"猪，猪，给花，给花啊！"尹小可开始低声提醒起朱雨萌。

朱雨萌这才缓过神来，她看着自己手里的玫瑰花，然后又看了一旁一副等待模样的秦明朗，她一点点迈开步子，朝着秦明朗走去。

到了秦明朗的跟前，她慢慢递过手中的玫瑰花。秦明朗接过玫瑰花，顺势拉住了朱雨萌的手，然后一用力将她搂在了自己的怀抱中。

"哇——"一旁的女生发出阵阵惊呼。

03

相亲活动结束之后，尹小可就黏黏腻腻地跟着金宇贤一起去喝奶茶了，而苏梅梅和眼镜男则是相约去了一旁的书吧。

就剩下朱雨萌和秦明朗两人手牵手走在学校的小路上。一路上两人都没有说话，看着自己手里的玫瑰花，朱雨萌想要跟秦明朗解释一下，可又不知道如何开口。

"看来以后出差也要把你当成行李打包了。"过了半晌秦明朗悠悠地说出了这么一句话。朱雨萌抬起头一脸疑惑地看着他。

秦明朗表情冷冰冰的，有些不爽："你的毕业典礼，我就迟到了一会儿，你就给我去参加什么相亲活动了，这不是要我走到哪里都要把你也随身带着吗？"

听到这话，朱雨萌有些嗔怪："我又不是你的行李……"

"怎么不是了，行李就是生活中的必需品，你就是我的必需品。"说着秦明朗拉着朱雨萌的手腕将她紧紧楼进自己的怀抱中。

被秦明朗紧紧抱住的朱雨萌嘴角扬起一抹甜甜的笑意。

"对不起，你的毕业典礼来晚了，航班晚点了。"秦明朗搂着朱雨萌，耐心地解释道。

朱雨萌摇摇头："没关系，只要你在就好，来晚一点也没有关系。"

"以后不要丢下你一个人去出差了，没有你的城市，一点意思都没有。"秦明朗的声音轻轻的。

朱雨萌轻轻踮起脚尖，用力搂住秦明朗："我还以为你今天不会来了呢！"

"我们家猪的毕业典礼我怎么可能不来呢！"秦明朗松开怀抱，宠溺地捏了捏朱雨萌的脸，然后弯下腰，低下头，将自己的嘴唇覆盖在朱雨萌的嘴唇上。

香樟树漏下的点点阳光照耀在两人幸福又明亮的脸庞上，空气里都飘荡着淡淡的花香，这味道，跟那个吻一样，香甜美妙……

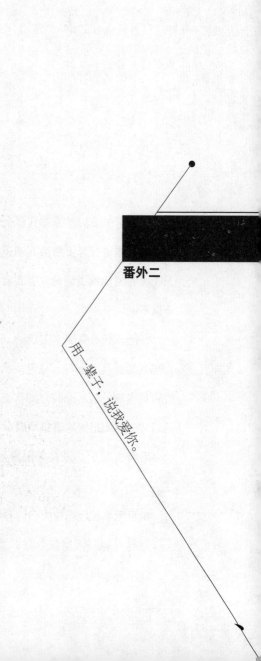

番外二

用一辈子，说我爱你。

01

一大早朱雨萌就感觉到整个世界似乎都背叛了自己。在她24岁生日这一天，本来打算要跟秦明朗还有他可爱的爸爸妈妈一起度过的，可昨天晚上那家伙就说公司有事需要加班，秦爸爸秦妈妈也表示在法国度假所以不能回来。

好吧，既然男朋友不靠谱，那么就只能寄希望于朋友了，朱雨萌首先想到的就是尹小可，可无奈那妮子自从跟金宇贤谈恋爱之后，整个人就春风得意，根本没有时间陪她。再次就是苏梅梅，拨通了她的电话之后，才知道她跟她的眼镜男朋友正在外地漂呢！

所有人都忙，没有人记得她的生日，朱雨萌感觉自己似乎被抛弃了。

她百无聊赖地躺在床上，看着空白的天花板，心里滑过一丝酸楚。

还真是越长大越孤单啊，越是想要找人陪伴的日子，越是独身一人……

　　酸楚越来越多的时候，一个毛茸茸的东西跳到了床上，并热情地用自己的头蹭朱雨萌的手臂。

　　朱雨萌一把抱起那坨毛茸茸的小东西，跟它说道："小番茄，看来今天只有你陪伴我了……"

　　小番茄热情地摇动着尾巴似乎在对朱雨萌说的话做出回应。

　　朱雨萌将它楼进怀抱里，并温柔地抚摸着它卷卷的毛："小番茄，你知道吗？大家都忘记了我的生日，没有人记得，就连你的男主人，大老板秦明朗都给忘记了……"

　　小番茄晃动了一下尾巴，添了一下朱雨萌的手臂，就挣脱开来跳下床，走到自己的饭盆面前，大吃大喝起来。

　　看到连小番茄都没有时间理会自己，朱雨萌重重地倒在床上。

　　她拿过床边的手机，对着那个熟悉的号码，发出了一条询问的信息——"晚上要一起吃饭吗？"

　　过了好一会儿，电话这才传来动静，打开来一看，秦明朗只是简单地回了——"晚上需要加班到很晚，不一起吃了。"

　　看到这条回复，朱雨萌嘟起嘴，有些埋怨地将手机重重地摔在床上，并拿起一旁的娃娃用力地捶打起来。

　　"死秦明朗，讨厌的秦明朗！怎么连我的生日都给忘记了呢！真是太讨厌了啊！"

　　足足捶打了布娃娃将近10分钟，朱雨萌这才消了气。

223

可也不知道是不是捶打娃娃也算一种运动，她一下子就感觉到饿了，踱步到冰箱，找出一盒牛奶，一块面包，她便想也没想准备大快朵颐起来。

可还没咬一口，门外就传来了敲门声。

"谁呀？"朱雨萌走到门边，打开门。一个穿着白色T恤的快递员，抱着一个大的纸箱子站在门外。

"请问是朱雨萌小姐吗？"快递员问道。

朱雨萌点点头："是的。"

"这是你的快递，麻烦签收一下。"快递员将纸箱递给朱雨萌。

看着纸箱朱雨萌有些纳闷，她不记得自己什么时候在网上买了东西啊……

"不好意思啊，是不是弄错了啊，我不记得我有在网上买东西啊……"朱雨萌有些纳闷。

快递员显示出有些不耐烦的样子："这个上面写的是你的地址，名字电话都是对的，赶紧签字吧！"

见到这个快递员似乎有点不耐烦，朱雨萌瘪了瘪嘴，赶紧签了自己的名字。

把纸箱抱到房间，打开后发现里面是一条白色蕾丝裙子，还有一双粉红色蕾丝高跟鞋。如此漂亮的裙子还有高跟鞋让朱雨萌有些意外地捂住了嘴巴。

天啊，这是谁寄给自己的呀？难不成是秦明朗吗？

想到这里，朱雨萌的脸上扬起一抹笑意。

"叮叮——"床边的手机响了起来，打开屏幕显示的是尹小可的号码。

"喂，小可。"由于收到了礼物，朱雨萌的语气也显得幸福了许多。

"收到了我给你寄的礼物了没？"电话那头尹小可的声音显得有些欣喜。

朱雨萌看着地上的纸箱还有躺在里面的裙子还有高跟鞋，有些不相信地问道："什么礼物呀？你不会说的是一条裙子和一双高跟鞋吧？"

"是呀！你收到啦！什么礼物？当然是生日礼物呀！放心吧！我绝对不是那种重色轻友的人！知道你今天生日，虽然不能陪你，但礼物我还是会奉上的，怎么样？喜欢吗？要知道那条裙子，还有那双高跟鞋我可是选了很久哦！"

原来不是秦明朗送的，而是尹小可送的，朱雨萌的情绪一下子变得失落起来："哦，收到啦，谢谢啦！"

"嗯，那生日快乐哦！我要跟我们家金宇贤去玩啦！拜拜！"说着尹小可就直接挂掉了电话。

看着挂断的电话，朱雨萌拧了拧眉头，又陷入了一阵懊恼。

就在这时，敲门声又响起了，等她打开门，这一次站在门外的不是快递员，而是外卖员了。

"朱雨萌小姐，这是您定的比萨还有芒果椰奶。"

虽然此刻肚子已经饿得扁扁的，可自己什么时候定过外卖啊？朱雨萌有些疑惑地接了过来："请问，一共多少钱啊？"

　　"钱已经付过了，您慢用，谢谢。"说着外卖员就转身离开了。

　　看着热腾腾的比萨，朱雨萌的心里泛起了嘀咕，难不成这个比萨才是秦明朗送给自己的生日礼物吗？

　　就在这时，床边的手机再一次响起，接通电话之后，那头传来苏梅梅的声音。

　　"雨萌，我给你订的比萨有没有收到啊！怎么样，美味吧？知道你早上起来肯定不会吃东西，所以索性给你定了个比萨，生日快乐！"苏梅梅的声音听起来也非常的有活力。

　　见到又不是秦明朗送的生日礼物，朱雨萌的心里又涌起一阵失落："嗯，待会儿就吃，谢谢，谢谢！"

　　等挂掉了电话，朱雨萌就拿着比萨到了餐桌旁大快朵颐起来。

　　即便是要一个人过生日，也要过一个吃得饱饱的生日！

　　在朱雨萌大口大口吃着比萨喝着椰奶的时候，离她公寓不远的地方，晴朗广告公司里，秦明朗、吴佑轩、尹小可，苏梅梅齐聚一堂。

　　"西餐厅已经订好了，你选的菜已经吩咐厨师了，还有12点我们就可以赶过去布置场地了。"吴佑轩拿着手机说道。

　　秦明朗点了点头，然后冲尹小可说道："雨萌有发现什么没？"

　　"放心吧！完全没有发现任何的蛛丝马迹！"尹小可很是自豪。

　　秦明朗低头笑笑，然后把玩起手中的宝蓝色小盒子，打开之后，里面放着的是一颗闪闪发亮的超大钻石戒指。

看着那颗戒指，尹小可还有苏梅梅忍不住发出一声惊呼。

"大老板，我可不可以请问一下，你到底喜欢我们家雨萌什么啊？"看着秦明朗一脸幸福的样子，尹小可问道。

虽然已经见证这两人走过了一年多的时间，可是这个问题依旧困扰着尹小可。

"可爱呀……"秦明朗的视线依旧停在那颗戒指上，他的脑子里开始幻想出，朱雨萌戴上戒指的画面。

"可是全世界可爱的女生那么多……"一旁的苏梅梅补充道。

秦明朗想也没想就回答道："但只有她的可爱入得了我的眼……"

站在旁边的3个人听到冷漠的老板大人竟然说出如此肉麻甜腻的话，纷纷忍不住打了个冷战。

02

大半天朱雨萌都在跟小番茄的玩闹中度过了，正准备趿着拖鞋出门吃点什么的时候，秦明朗的电话打来了。

"喂，在家干什么呢？"秦明朗的声音从电话那头传来。

"没，没干什么呀，看电视，然后跟小番茄玩。"虽然已经在一起一年多，但直到现在，只要跟秦明朗讲话，朱雨萌还是忍不住会紧张。

"好好洗漱打扮一下。6点半的时候见面，不见不散。"说完这句，秦明朗就挂掉了电话。

朱雨萌看着手机，听到有约会，整个人忍不住开始手舞足蹈起来。

原来这个家伙没有忘记自己的生日，原来他一直都记得！

太过于兴奋的朱雨萌一把抱住小番茄，亲昵地用鼻子蹭了蹭它的头："小番茄，大老板没有忘记我的生日呀！好开心！我待会儿就可以穿得漂漂亮亮地去约会了！最近工作太忙了，好久没跟大老板约会了呢！好开心！好开心呀！"

把自己的兴奋跟小番茄汇报了之后，朱雨萌就开始在衣柜里找起衣服来。

黑色的小裙子似乎显得过于沉重，不适合约会的样子，绿色的裙子，颜色过于鲜艳，感觉也不适合，还有大红色的裙子，感觉比较适合酒会……

挑来挑去似乎每一件衣服都能挑出一点毛病出来，这也不好，那也不够好……

果然，女生的衣柜永远都少了一件。

在快要放弃的时候，朱雨萌瞟见了地上的纸箱，还有纸箱里的衣服还有鞋子。

尹小可不愧是最佳闺密，竟然在自己最需要漂亮衣服的时候，体贴周到地送给自己一件。

朱雨萌赶忙换上了裙子，并对着镜子美美一笑，然后洗脸化了一个淡妆，等全部打扮好的时候，已经到了6点。

本思考着，是打的过去，还是坐地铁过去的时候，刚走下楼，就看见门前停了一辆黑色的小轿车。

"雨萌小姐，老板叫我来接你。"司机冲朱雨萌说道。

朱雨萌有些意外地笑了笑，然后冲他挥挥手："谢谢啊，麻烦你了……"

上车以后，朱雨萌跟司机热情地攀谈起来："对了，大老板说了去哪里吃饭了没有啊？还有，除了吃饭还有什么别的活动吗？比如一起去看电影，或者去广场上看看烟火之类的？"

司机的表情淡淡的，声音也冷冷地回应道："不好意思，雨萌小姐，老板只吩咐我，将您接到永恒西餐厅。"

得到这个答案后，朱雨萌吐了吐舌头，将视线放到了车外。

看着车子行驶在拥挤的街道上，朱雨萌总感觉今天的事情有些不对劲，可到底是哪里不对劲，她也说不上来。

03

车子停到永恒餐厅外，朱雨萌一下车就感觉到了永恒餐厅跟以往有些不一样，首先餐厅的外面被铺上了绿色的草皮，沿路还有一颗颗小小的像是星星一样的灯光点缀其中，远远看去，像是草地上落了许多小小的星星。

踩着星光熠熠的草坪，朱雨萌走进了西餐厅，比起以往的一座难求，今天整个餐厅竟然是空的。

正纳闷的时候，随着"砰"的一声响，头顶上的气球爆炸，纷纷扬扬洒下了许许多多粉红色的花瓣，淡淡的轻音乐也开始响起。

这个时候，尹小可还有苏梅梅牵手出现，她们每人手里拿了一支玫瑰花，递给了朱雨萌。

"雨萌，生日快乐！"两人齐声说道。

朱雨萌感动得眼眶一红，连连感谢："谢谢，谢谢。"

刚感谢完，她就看到大屏幕上播放着视频，远在家乡的父母出现在大荧幕上。

"雨萌，生日快乐，明朗是个好孩子，你们俩要幸福。我跟你爸爸身体不好不能长途奔波，所以没有办法来给你过生日，你不要怪我们，我们永远爱你！"说着，朱雨萌的爸爸妈妈摆出了心形的造型。

看到这个视频，朱雨萌的眼泪直接冲出了眼眶。

然后接下来让她怎么也没有想到的是，秦明朗的爸爸妈妈两人手牵手，带着开心的笑容朝着她靠近。

"叔叔阿姨，你们怎么来了？"朱雨萌有些讶异，脑子里浑浊一片，不是说两个人去了法国度假吗？

"雨萌，生日快乐。"秦爸爸将手中的玫瑰花递给朱雨萌。

"雨萌，我和秦爸爸都很喜欢你，希望你能加入我们这个大家庭！"秦妈妈伸出双手，将朱雨萌紧搂进怀抱里。

突然多了这么多的关爱，朱雨萌有些受宠若惊，她不断地擦拭眼泪，并露出无比幸福的笑容。

在音乐进入高潮阶段的时候，秦明朗穿着一身黑色的西装，踏着稳重帅气的步伐，手拿99朵玫瑰花，一步步朝着朱雨萌靠近。

他走到朱雨萌的面前将玫瑰花递到朱雨萌的手上，朱雨萌惊喜地捂住了嘴巴，由于花太重，一旁的尹小可赶忙帮忙接过。

这时让朱雨萌怎么也没有想到的事情发生了。

秦明朗对她甜蜜一笑之后，就单膝跪在她的面前。

"笨蛋的雨萌，迷糊的雨萌，需要我秦明朗一辈子照顾的朱雨萌，嫁给我吧！"说着秦明朗从西装口袋里掏出一个小盒子，并从里面拿出了一颗闪闪发亮的钻戒。

看着秦明朗的举动，朱雨萌惊喜得无法言语，她的眼泪大颗大颗地落下。

"嫁给他，嫁给他！"这个时候，从餐厅的大堂里走出了许许多多的同事，他们齐声喊着同样的口号。

朱雨萌看着面前的秦明朗，他的眼睛里闪着坚定的光芒，那样的光芒像是一个指引。

朱雨萌忍住眼泪，然后用力地点了点头："我愿意，我愿意……"

听到朱雨萌答应，秦明朗将戒指带到她的手指上后，便用力地抱住了她。

"朱雨萌，我会让你一辈子幸福……"

"嗯，我相信。"

（全文完）

奇怪的他——艾可乐

"非凡华丽家族" 男主角大揭密！

惊艳所有人的华丽阵容——**非凡超能家族&茉莉怪人团！**

令人屏息的纯情罗曼史——天使&狼的秘密契约、传说狩猎者&闪电少年的爆笑互动、千面小魔女&水晶王子的追击游戏……

继"刹那的华丽血族"风靡亚洲后，畅销青春校园作家艾可乐突破爆笑与温情极限的新作——"非凡华丽家族"系列，华丽登场！

爆笑不断的家族日常生活，美艳与窘态共存的华丽怪男团！

不华丽，不够看！

最惊喜的是，本系列所有作品都会以**"璀璨完美天使装"**呈现，适合所有时尚、青春的新生代小妹妹珍藏！

本系列的角色一个个都非常有看点！今天就让小编揭秘一下系列的男主角吧！

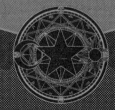

NO.1的绝密档案

姓名：杜重　**代号：**独狼　**身高：**183CM

外貌：乌黑的头发散在脸颊边，雕刻一般的五官棱角分明，蜂蜜颜色的皮肤显得野性而健康，薄薄的嘴唇抿成一条冷漠的曲线。即使就这样站着什么话都不说，也散发出一种桀骜和冷酷的气息，但是又充满了吸引人的魅力。

能力：成绩好，身手好！拥有绝对俊美的外貌与冰山一样的气势。身为孤儿，打过很多零工，所以很多工作都会做——换灯泡、修单车、走秀甚至插花、十字绣等！

语言风格："咀嚼食物必须要20次。"

"张嘴，咀嚼20次，吃下去！"

"你要明白一件事，单纯不是愚蠢，你喜欢被人利用随你便，但不要扯上我跟你一起当笨蛋！"

他人评价："杜重同学好可怕，完全不知道他在想些什么……"

"是啊，他那双眼睛像狼一样，让人畏惧……"

NO.2的绝密档案

姓名： 白小侠 **代号：** 闪电侠、怪人 **身高：** 181CM

外貌： 白小侠此时正凝神静气地微微低垂着头，看着桌面，黑白分明的眼睛因为角度的原因，被微微遮掩着，从我的角度看过去，只能看到如同蝶翼一般的长长睫毛在微微颤动，高挺鼻梁的起伏呈现出一个优美的弧度，明明他拥有的五官所有人都有，但只有他像一个雕塑家用了一辈子的心血雕琢出来的杰作！

能力： 如闪电般的速度；双手能发出电流；高智商低情商；手工达人。

语言风格： "酸黄瓜土豆泥，地狱的味道。"

"我最爱的炸鸡三明治……我洗了三天的碗才让小萌答应用正常的方式给我做的炸鸡块，而不是用面糊做调味的炸鸡块……"

"露娜同学，你这样会让我很苦恼啊……虽然我知道你非常喜欢我，但是你这样明目张胆地跟着我，让我很不习惯！"

他人评价： "他就是我们班的白小侠同学，人虽然有点奇怪，但是成绩非常好哦！"

"我没想到白小侠那个大怪胎也会有这么漂亮的女生喜欢，他妈妈一定会开心得哭出来的！"

NO.3的绝密档案

姓名：风间澈 **代号：**学霸、隐王、王子、斗篷怪人 **身高：**178CM

外貌：精致得像水晶一样的脸，可能是长期没有接触阳光的关系，他的皮肤白皙得近乎透明；浅棕色的眼眸里泛着盈盈的水波，干净而又清澈；小巧而又高挺的鼻梁，再往下就是微微上翘的粉红色嘴唇——简直就是从西方油画上走下来的小天使。

能力：传说中的"学霸"，超级富二代。因为日光过敏症，过着跟吸血鬼一样的生活。拥有世界上最细腻、温柔、善良的内心，不知不觉就会吸引暗黑而强大的生物——比如说白小梦……

语言风格："今天小侠迟到啦，还擅自改动了我跟阿重的手机时间，结果被阿重狠狠地揍了一顿。不过小侠就算有超能力，也不会用在跟阿重的互动上呢，阿重还真是稳重啊……"

"我……从来都没有想过会有人喜欢我、崇拜我……从小，我就被当成怪人，被人排斥，所以我也变得不喜欢跟陌生人接触，把自己当成游离在人群外的影子……但是，没想到有人会崇拜这样的我……"

他人评价："那个穿斗篷的就是总拿全校第一的天才风间澈吗？我还是第一次看到他呢……"

"风间澈大人！我只想告诉您，您是我最崇拜的人！我之所以转学来这所学校，就是为了向你学习！"

不要以为上面这三位就是本系列全部的男主角哦！还有最惊爆眼球的第四号——NO.4男主角没有现身，他的代号是——X，信息绝密，来历未知，能力神秘！

大家猜测一下，"非凡华丽家族"系列的第四号男主角会是怎样的呢？

他的外貌，他的性格，他的能力……

开动你的脑筋，发挥你的文学功力，把你的想法跟艾可乐（新浪微博@Merry艾可乐）分享吧，有机会赢取超级惊喜的华丽大礼哦！

少年美颜秀

魅丽作者豪华变身派对！
草莓多温情演绎花样日常青春剧，

打造史上最爆笑祭典挑战队！

奇葩A：洛夜辰 ★★★★★★★★★★

他是——宇宙中横冲直撞、被视为灾星的恐怖扫把星！

他是——**终结地球命运、妨碍人类前进、绝对要保持距离的人！**

他是——不管出现在任何地方，都会引起尖叫、逃窜、哭泣、晕倒、跪地求饶……几种情况同时发生的可怕生物。

简称：**大魔王！**

奇葩B：艾伦·希尔菲克斯 ★★★★★★

他——穿着最华丽的宫廷礼服，头戴象征王位的冠冕，勋章与绶带熠熠生辉，是西方皇家完美礼仪的至高体现。

他——**宽袍大袖的帝王冕服系列，将高挑白皙的少年包裹在华丽的花纹中，绸缎的光晕在少年的脸庞周围渲染开来，妍丽的色泽与深浓的纹饰烘托着他高贵的气质。**

他——"原来这缓慢得犹如按下暂停键，优雅得叫人产生睡意的功夫就是太极拳啊！"

"难道这就是传说中的东方大侠？大侠等等我，我要拜你为师。"

简称：**真·第一王子！**

奇葩C：阿飘 ★ ★ ★ ★ ★ ★ ★ ★ ★ ★ ★

他——**常常像幽灵一样，坐在别人身后一整天都没人注意到，跟传说中"飘来飘去"的"阿飘"高度吻合。**

他——仅仅只是换上了宫廷礼服并将额前的长发梳起，竟然大变身！绝美的面容，清秀中略带忧郁的神情，如同画卷里病弱却善良的公爵之子。

简称：**葬仪社继承人。**

超级混乱祭典即将登场，精彩尽在——

《露星春日之绊》

打破"萌系少女"神话，莎乐美首部悬疑浪漫校园力作！

一场媲美《咖啡王子一号店》的浪漫传奇！

神秘风暴持续酝酿中！

到底是可怕的谎言，还是苛刻的卖身契约？是最严厉的花美男大考验，还是最卑鄙的绑架案？

献上一颗真心，让你脱下隐藏在内心深处的假面！
一次离奇的绑架事件，引爆无数心跳的甜蜜炸弹！

心跳跳、惊吓吓、嘉年华！

《心跳假面嘉年华》

真假花美男的伪装人生，爱之终极PK，正在持续进行！

猫小白·猫氏梦工厂·美少年们的

奇幻漂流

《圣南学院男神团》沐槿熙

【相貌】 樱花树下，干净的金棕色碎发在微风中轻轻飘动，白皙精致的小脸上，唇角微微上扬，露出一个足以魅惑众生的微笑。他的后背仿佛长着两只洁白的大翅膀，正在不停地抖动着，简直是让天使都为之动容的美貌啊！

【身份】 圣南学院男神团首领

【奇葩特质】 万箭穿心天使、毒舌两面派典型人物

《荆棘花冠》伊夏洛

【相貌】 在丝绒般的夜幕中，他就像一尊神秘优美的雕像，身体比例完美到无可挑剔，优雅的风范下蕴藏着深不可测的力量，在远处依稀可见的海平线的映衬下，犹如希腊神话中的海神波塞冬。

【身份】 恺撒学院执行委员会技术部部长

【奇葩特质】 超霸道强势，闪耀的光环下有着一颗极其腹黑的心，以"蹂躏"未末末为乐

《千夜星侦探社》蔺拓海

【相貌】 墨黑的头发在阳光下反射出点点光芒，浓密的眉毛像剑一样锋利，漂亮的眼睛里犹如蕴藏着细碎的星光，睫毛又长又浓密，在脸上投射下迷人的阴影，英挺的鼻梁，坚毅的下巴，薄薄的嘴唇微微抿起，无论从哪一面看都这么完美。

【身份】 千夜星侦探社社长

【奇葩特质】 脑筋超好的沉默冰山，喜欢收集玩偶和养宠物

下一个男主角会是……

如果你的恋人是一个ET,那该怎么办?

奇怪百变的**完美学院继承人**、不苟言笑的**冰山风纪部
长**、元气满满的**肯塔族王子殿下雷恩**——

魅 优 白 金 作 家 猫 小 白 , 最 新 打 造 ——

三百六十种男主角,你最爱哪一种?

最精彩的放肆青春物语,

敬请期待!

Merry 旅行记

下个星期去旅行

菜菜： "你看过了许多美景/你看过了许多美女/你迷失在地图上/每一道短暂的光阴……"每每听到这首歌，总会想象出身着长裙、带着单反坐火车远行的那个长发女生。

锦年的《**我们都是匹诺曹**》一书中，陈南希不仅去我喜欢的法国留学了，还在告别青春之际，来了一次令人艳羡的欧洲之行，真是羡慕啊。

为此，**菜菜**我一边看攻略一边打鸡血发愤图强，正是人间最美四月天，不如先让我带内心**蠢蠢欲动**的各位来一趟**梦幻之旅**。

●安纳西 ✈

坐标：法国

推荐理由：这个就是文中沈旸和COCO一起去登雪山的城市啊（也是出事的地方），不仅拥有仙境一般的景色，还是动画"奥斯卡"——国际动画节的主办地。创立于1960年的动画节不仅是世界上最早的动画节，也是名副其实的顶尖动画节。而坐落于安纳西的动画博物馆更是动漫迷们不可不去的朝圣之地。

●···马纳罗拉 ✈

坐标：意大利

推荐理由：这是一个处于悬崖上的小镇。海边的马纳罗拉(Manarola)火车站，在站台上就能看到美丽的风景，一路上火车翻山过隧道，每到一个车站都是一片豁然开朗的海。五渔村由五个依山傍海的村庄组成，陡峭的山崖、满山的葡萄园、彩色的房子和清澈的海水是这里最大的特色。

●福莱伊苗罗斯小镇 ✈

坐标：希腊

推荐理由：小镇中心位于一个200米高的悬崖上，因此在这个恬静的小镇，你所能看到的只是波涛拍打着卵石海滩，山羊在山坡上互相追逐，一架古老的木制风车在海风的吹拂下兀自旋转着。这里没有两层楼以上的建筑，没有躲在港湾码头的游艇，更没有精品店或花哨的餐馆。

●···格塔里亚 ✈

坐标：西班牙

推荐理由：好吃的家伙们的天堂！这里是距圣塞巴蒂安24千米的一个巴斯克海港小镇，被称为西班牙的厨房，比斯开湾出产的小鱿鱼和大比目鱼数量惊人，烧烤类的海产品品种繁多。想想都流口水！在这里，你可以挤进牛排店大口嚼牛排，再配上一瓶里奥哈白葡萄酒，还有比格塔里亚更好的去处吗？

✈ 心动了吧？

前面那个垂涎三尺的同学，说的就是你！虽然你没有说走就走的旅行，可是你有说写就写的广告啊，还磨蹭什么？快去发愤图强，争取下个星期就踏出国门——去旅行！

她喜欢了他十年，却在第十年等到了他要娶别人为妻的消息。

他辜负了她最美的年华，她满心欢喜只等到断肠毒药。

于是她恨，她怨，她挣扎，却斩不断对他的爱。

他让她成为全城人眼里的笑话，她发誓也要他一点点尝遍她所受的苦。

三年后，她带着一身腥风血雨归来，爱恨尽头，

他还能见到那年春花烂漫里，三两桃花枝下，一身绿裳的她吗？

"古言天后" + "悲情女王" 唐家小主携新作《十年红妆》华丽来袭，请各位美人、贵人、才人自备纸巾擦鼻涕眼泪哦！

 号外号外，好消息，特大好消息！

你，也曾经有过那种**心情**吗？

深深地爱着某个人，以为她（他）会一直在你身边，
可是某一天却突然发现，她（他）不再属于你。
那种刻骨铭心的痛楚，无法用世间任何言语描述。
如果你也曾有过默默爱恋一个人长达三年以上而没有结果，
欢迎写下你的内心独白，邮寄给唐家小主，
作者的签名新书，说不定就会从天而降，砸到

你头上啦！

要不要爱他的

深夜讨论组中，"嘀嘀嘀"的声音四起！一切源于西小洛抛出了一个亘古而弥新的话题！那就是——

【Shylo小洛】：喂喂喂，你们说，我也来写写青梅绕竹马这个烂大街的题材怎么样？我一定能写出不一样的感觉！全文的主线可以是这样：一对青梅竹马在经历离散、奔波、误解、挫折之后，再次遇见，发现两人都已脱胎换骨地成长了，然后带着青春的伤痕相互取暖……

【奈奈】：哈哈哈，你看我之前写的短篇就知道嘛，我一直认为，这个世上，总有一个竹马不爱青梅，干吗非得让他们最后在一起？最后不在一起才打动人嘛！

【希雅】：奈奈姐，你这个"后妈"！小竹马怎么能不爱他的小青梅呢？我今天就开始写一个每个竹马必须爱他的小青梅的故事！哼！

于是，希雅一怒之下新建文档，"啪啪啪"敲出了这样的人物设定……

书名：**《紫阳花开少年时》**

女主角叶暖——阳光开朗的女生，静如处子，动若脱兔，性格直爽，头脑简单。

男主角许陌——温柔沉默、内敛沉稳的男生，与叶暖是青梅竹马。

男二号程瑞——一对青梅竹马初中时的死党，三人号称坚不可摧"铜墙铁壁三人组"。

看希雅的动作如此之快，可怜的小洛只好默默关掉了自己的新建文档……

希雅之前都那么温吞，这次居然说做就做，而且，完稿后还自己配了手绘的场景图！

天啊，希雅这是开外挂了吗？

居然还有这项技能！画得还像模像样的呢！

【亲妈希雅场景介绍：6岁那年，一个小小的少年自一大片或蓝或粉的紫阳花中走来，仿若从天而降的小天使。自此，那美丽繁复的花团便深深住进了少女的心中！】

【亲妈希雅场景介绍：倾盆而来的暴雨中，逃课跑去护花的少女偶遇了用自己的校服给盆栽绣球花挡雨的白皙少年。俨然伯牙与子期的相遇，爱花惜花的少女终于找到了知音。】

【亲妈希雅场景介绍："铜墙铁壁三人组"就连加入园艺部也要一起才有趣啊！友谊就是这么坚不可摧！】

【亲妈希雅结语】

也许相遇的那一秒就已经注定，瞬间即永恒，兜兜转转，就算倾尽力气去寻找，这辈子，相伴终老的，除了身边的你，不会再是别人。

【小编偷注：大家喜不喜欢希雅这套手绘图？做成明信片送给大家可好？最后还送上超大福利，只能帮你们到这里了！】

西小洛QQ号：【Shylo小洛】3231752803
奈奈QQ号：【奈奈】1335194711
希雅QQ号：【希雅】242475362

独家
心动

相遇没有早知道，只要真心相爱就好。

阮茹绵绵 作品

当年爆红的韩剧《巴黎恋人》里，男二号修赫说的那句话让所有人都心碎：明明先遇到她的人是我，为何她爱的人不是我？
当她还是一块顽石时，他已经像对待一颗钻石一样小心翼翼地爱护她。
可是她爱的人依然不是他。
所以他假装遗忘，孑然一身开始新的流浪。
总有一次流浪，他会遇见他的海洋。

■《独家心动》里，最先遇到余今惜的人是程琛。

余今惜为了解开父亲失踪之谜，冒充代驾上了程琛的保时捷911。
这个马上要毕业的音乐学院学生，平生的爱好除了拉小提琴，就是开车。

第一次混到程琛车上代驾：

程琛拆穿了她的谎言，他的司机可是特警出身，哪里是她三言两语可以打发的。

第二次混到程琛车上：

程琛毫不留情地告诉了她自己的规则："在我的世界里，谁给我方便，我同样给他好处；当然，反过来，谁敢算计我，我自然让他好看。"
"离我远一点，别再让我看见你，否则下一次你躺的就不是这里！"

余今惜失去了记忆，程琛用托付生命的信任换一个先认识她的机会。
他的衬衫一个褶皱都没有，皮鞋也一尘不染，他在别人眼中是完美的，然而没人知道，此刻他的心却"扑通扑通"跳得如此剧烈。
程琛："我胳膊受了点伤，你能载我去一个地方吗？"
余今惜："先生你在搞笑吗？这个世界上还有一种工作叫代驾。"
从前处心积虑想上他车的人是她，而现在角色对调了过来。
那个让她动心、让她流泪、让她情不自禁的男人，自始至终都不是他。他错过了一盏红灯，就错过了他的爱情。

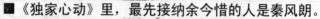

■ **《独家心动》里，最先接纳余今惜的人是秦风朗。**

被程琛警告后，余今惜取出自己所有存款，去了秦风朗所住的橡山路7号。

来之前，余今惜想，哪怕里面是龙潭虎穴她也要闯。

到之后，余今惜想，还是算了吧，因为里面真的有老虎！

老虎艾米叫了一声："嗷——"

然后他们开始了一段高智商全面碾压小笨蛋的甜蜜之旅。

余今惜第一次寻求帮助：

余今惜："秦先生，都说你是探险领域的专家，祖国的大好河山你都了如指掌，不知道你能不能帮我看看一张地图……"

秦风朗："小姐，你的人品如此差，我为什么要帮你？"

余今惜愤恨不已：这个家伙，嘴巴毒得像抹过响尾蛇的口水！

余今惜踏上了寻找父亲的路途，

却没有想到会遇到紧随而至的秦风朗，难免心中小鹿乱撞。

余今惜脸一红，嗫嚅道："你喜欢我什么？"

秦风朗一挑眉毛，上下打量了她一番："余今惜，你最长的恋爱史，大概就是自恋吧？我喜欢你？你也真有胆量这样想。虽然这样不犯法，也请你换个对象。"

余今惜恨不得用小皮鞭抽打他一千次！

遇到女神情敌，刻薄男生顿时又萌又贱。

梁缘可问："风朗，这位是……"

"她啊……"秦风朗抿嘴瞥了余今惜一眼，轻描淡写地说，"端茶倒水、揉肩捶腿之人。"

终于酒足饭饱，梁缘可素手执了一盏清茶，对余今惜道："余小姐，我和风朗许久未见，难得有这样的机会，有些话想私下和他聊聊，不知道您是否方便……"

余今惜刚想站起身，却被秦风朗长臂一拉重新坐了下来。

他瞧着梁缘可，淡淡地说："她不是外人，有什么话当她面说是可以的。"

不是外人……

余今惜腹诽不已，然而也有一万分的甜蜜从她心眼里冒出来，虽然气氛略微古怪。

这么一个智商无上限、能力值全满的男生，在你还以为是暧昧期的时候，他早就已经一心一意认定你了。

纵然程琛输了余今惜的心，但秦风朗也是赢得实至名归！

GLOBAL EVOLUTION 全球进化

新番街

末日求生手册 第二弹

少年们好，俺胡大编又回来啦！

刚刚吃午饭的时候**主编大人**说了，看在**俺上班迟到下班早退**没事睡懒觉的**优良**工作态度的面子上，决定**让俺将《全球进化》的末日求生系列广告进行到底，**感动得我鼻涕眼泪流了一饭盒啊，**为此**俺还特意把剩下的**半块鸡腿给了主编大人，各种辛酸谁人懂啊！

开始之前呢，胡大编在这里还得向大家大大地爆个猛料，《全球进化》里出现的贺枝，其实就是作者天九生活中的老婆大人哦，哈哈，够劲爆吧？

你们，别问我为什么会知道得这么多，本胡大编是不会告诉你们的，要是你们认为胡大编又在吹牛，有本事就过来请俺吃麻辣烫，哈哈！

好吧，言归正传，假如末世真的到来了，那么，咱们平时无聊没事干的时候该做些什么好呢？现在，就让胡大编跟大家一一道来吧。

一、请善待家里的宠物。

根据《全球进化》的设定，生物都迎来了一个大幅度进化的时代，牛蛙可以进化成牛一样大的蛙，公鸡也能进化成战斗鸡，原本两只飞在花丛中的小蜜蜂啊，现在也开始玩起了老鹰捉小鸡，可以说，所有的生物都迎来了一个高智商、大块头的新生时代。

而在《全球进化》一文中，最让胡大编向往的就是那只能载人航空的金刚鹦鹉了。一只会载人航空的鹦鹉，很有金庸爷爷小说里的神雕的感觉对不对？这让俺不自觉地就想到了家里养的那只只会装傻卖萌的胖龙猫。看来胡大编以后得好好跟它处处关系才行，万一哪天它真变成了宫崎骏动画片里的大猫崽了呢？到时候天冷了可以拿它当被子，走累了可以让它驮着，生活多惬意啊，哈哈！

二、一定要勤俭节约。

在封闭的生活环境中，所有的生活资源都是有限的，所以一定要注意节俭，每一滴水，每一粒米饭，那可都是非常珍贵的！

一想到末世来临后，胡大编就不能敞开肚子啃鸡腿了，心里各种心酸尽在不言中啊。末世来临，这对于好吃鬼来说简直就是一个毁灭性的打击啊！

好吧，为了避免末世来临依然大手大脚的，胡大编决定现在就提前适应！

这以后啊，俺胡大编每天早上都煮上两碗甜酒蛋汤，吃一碗，倒一碗，等到末世来临的时候就只吃一碗，这样相比以前就节省了一半的伙食开销，看看，胡大编的这个决定是多么机智啊，哈哈！

三、没事多种种蔬菜。

从《植物大战僵尸》这款让人热血沸腾、激情澎湃、荷尔蒙激增的国际知名游戏中，少年们想必也能看出蔬菜在对抗丧尸大潮时的巨大作用吧？

所以呢，为了应付末世危机，咱们就得以《植物大战僵尸》这款极具现实教育意义的游戏为蓝本，没事的时候就在菜园子里种点蔬菜瓜果啥的，比如洋葱啊，向日葵啊，豌豆啊，土豆啊，等等等等。这一来满足了好吃鬼的要求，二来还有效地阻止了丧尸入侵，简直就是一举两得的事情啊！

而且在生物进化的浪潮中，这些蔬菜瓜果肯定长得个个倍儿棒啊，胡大编现在已经越来越向往能有房子那么大的超级大土豆了，那能做成多少薯片啊！

让胡大编扳指头算算啊，一个土豆一千斤，一块薯片一两克，一七得七，二七十四，三八妇女节，五一劳动节，六一儿童节……

少年们，真是对不起啊，胡大编实在算不出来，教俺小学数学的生物老师上体育课的时候被头卡茅坑的驴踢了……不说了，老师现在还在昏迷中，俺得前去厕所支援啊！

好吧，俺就先跟大家说这么几吧，稍后胡大编得去跟主编大人讨论讨论明天午饭的事情了，毕竟对于好吃鬼来说，这可是人生的头等大事啊！

小伙伴可要记得前去支持啊，俺胡大编以后午饭里的鸡腿可就全靠大家了！